Une histoire pour chaque soir à lire à tous les petits garçons

Textes intégraux

Éditions Flammarion - 87, quai Panhard et Levassor - 75647 Paris Cedex 13
www.editions.flammarion.com
ISBN : 978-2-0812-6608-7

Conception graphique : Flammarion et Marie Pécastaing
Suivi éditorial : Anne Kalicky

Imprimé par Pollina, Luçon, France - L61813 – 09-2012
L.01EJDN000755.N001 / Dépôt légal : octobre 2012
Loi n° 49-956 du 16 juillet 1949 sur les publications destinées à la jeunesse

Une histoire pour chaque soir à lire à tous les petits garçons

Père Castor ■ Flammarion

 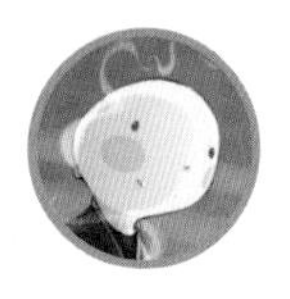      

Sommaire

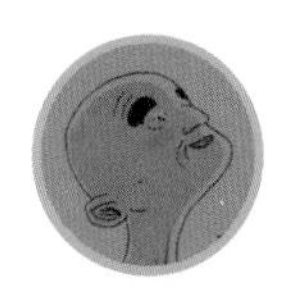

Le Géant va venir ce soir...

Claire Clément, illustrations d'Élisabeth Schlossberg

Petit Louis met ses bottes et son casque,
il prend son bouclier et son épée.
Il est le Chevalier Noir et, comme tous
les soirs, il attend le Géant.

Soudain...
Boum, boum, boum !
C'est le pas du Géant ! Il arrive, il est là !
Vite, Chevalier Noir se cache
derrière la porte.

Le Géant ouvre la porte, il entre dans
la maison, il renifle à petits coups,
il dit de sa grosse voix :
– Ça sent le Chevalier Noir... Si tu es là,
Chevalier Noir, montre-toi !
Derrière la porte, Chevalier Noir
ne bouge pas.

Mais d'un grand coup de pied, Le Géant
ferme la porte. Et voilà Chevalier Noir
face au Géant !
– À l'atttaaaaaqueeeuuuuu !

Le Géant se frotte les mains, tout content :
– *Ho, oh, oh !* dit-il. Il y a un Chevalier Noir,
là... que je vais emmener dans mon pays,
en Zizanie. Allons, petit Chevalier Noir,
viens par ici...

Chevalier Noir n'est pas d'accord. Ah ça, non !
Il pousse son cri de guerre :
– À l'atttaaaaaqueeeuuuuu !
Et *hop*, il bondit entre les jambes du Géant !
Il court, il court... Il connaît une cachette...
Ha, ha ! Bien malin qui le trouvera !

Dans sa cachette, Chevalier Noir rit
comme une baleine.
Ha, ha, Ha ! Hi, hi, hi ! Ho, oh, hoo !

Mais le Géant a l'oreille fine. Il s'approche
de la cachette. Chevalier Noir s'arrête de rire,
il s'arrête de respirer... Trop tard !

Le Géant l'a vu... *Ho hisse !* Il tire Chevalier
Noir, il le traîne jusqu'à lui !
Et *hop là*, il l'envoie en l'air !
Une fois, deux fois...
La troisième fois, Chevalier Noir pousse
son cri de guerre :
– À l'atttaaaaaqueeeuuuuu !
Il tire sur la barbe du Géant qui crie :
– *Ouille, ouille, ouille !*
Il tire sur ses cheveux :
– *Aïe, aïe, aïe !*

Le Géant ne se laisse pas faire. Ah ça, non !
Il met Chevalier Noir sur son épaule comme il porterait un sac de pommes de terre, et il crie :
– C'est fini, c'est du tout cuit, en avant pour la Zizanie !

Chevalier Noir ne veut pas aller en Zizanie. Ah ça, non ! Il se tortille comme un serpent, et il glisse ses mains sous le gros pull du Géant. On dirait des petites bêtes qui se promènent partout, et qui chatouillent... beaucoup, beaucoup !
Le Géant faiblit, il devient tout mou, il supplie à genoux :
– Pitié, non, pas ça, pitié...

Chevalier Noir n'a pas de pitié. Ah ça, non !
Il monte sur le dos du Géant.
– Alors ? C'est qui le plus fort ?
C'est Chevalier Noir ou c'est le Géant ?

Patatras !
Le Géant tombe par terre. Il rit, il n'en peut plus. Il est vaincu.
Alors Petit Louis pousse un cri de victoire :
– Papa !

Célestin le ramasseur du petit matin

Sylvie Poillevé, illustrations de Mayalen Goust

Qui est cet homme au long manteau coloré,
portant sur son dos un sac qui semble flotter ?
Qui est cet homme si grand, si fin, si léger,
qui, au vent, semble se balancer ?
C'est Célestin le ramasseur de chagrins.

Chaque jour, de bon matin, il s'en va sur
les chemins. À grandes enjambés, il s'en va
pour ramasser : les petits soucis, les petits
riens, les gros bobos, les gros chagrins.

Avec la pointe de son bâton de bois, il pique
les mouchoirs à pois, à trous, à rayures,
à fleurs, à carreaux, de toutes les couleurs...
Il pique les mouchoirs abandonnés,
les mouchoirs encore tout mouillés
par les petits et grands malheurs.

Puis, quand son sac est bien rempli,
il rentre enfin chez lui, fier d'avoir débarrassé
la Terre de toutes ces misères.

Depuis des années, dans sa grande maison,
Célestin empile les sacs, du sol au plafond.
Pourtant, il ne sait pas pourquoi, mais un
nuage gris s'installe petit à petit tout au fond
de lui... Célestin se dit que ça va passer !
Alors, il continue à ramasser les petits soucis,
les petits riens, les gros bobos,
les gros chagrins.

Mais, de jour en jour, le nuage gris est plus
gros, plus lourd. De jour en jour, à chacun de
ses pas, Célestin est de plus en plus courbé,
comme si son sac était trop lourd à porter.

Un matin, en ramassant un chagrin à pois, il se met lui aussi à pleurer, pleurer, sans pouvoir s'arrêter. Et toute cette pluie de larmes, toute cette pluie de son nuage gris, Célestin la laisse couler dans des mouchoirs à rayures, à fleurs ; il l'enferme dans des mouchoirs à carreaux, de toutes les couleurs... Mais, rien à faire, rien ne l'arrête... Célestin pleure...

Une fois chez lui, il réfléchit, un jour, une nuit, et encore un jour, une nuit... Au petit matin, il comprend enfin que tous ces chagrins empilés dans sa maison, du sol au plafond, finissent par le rendre triste, terriblement triste.

Il prend alors une grande décision : ces chagrins, il ne faut pas les garder ! Ces chagrins, il doit s'en débarrasser ! Mais comment faire ?

Impossible de les remettre sur la Terre !
Ils pourraient repousser comme des herbes à poison, et les gens seraient encore plus tristes !
Ah ça non ! Pas question !

Célestin réfléchit, tourne en rond, se met à ouvrir un sac, puis deux, puis quatre !
Les yeux encore tout mouillés, il commence à déplier les petits soucis, les petits riens, les gros bobos, les gros chagrins.
Où va-t-il les mettre ?

En levant ses yeux vers la fenêtre, il lui vient soudain une idée : il va les laver !

Poc ! poc ! poc !
Ainsi font, font, font les bulles de savon autour des chagrins, qui, dans la bassine, ont vraiment mauvaise mine...

Dans l'immense champ devant sa maison, sur des cordes à linge qui disparaissent à l'horizon, le cœur remplit de joie, Célestin étend les mouchoirs à pois, à trous, à rayures, à fleurs, à carreaux, de toutes les couleurs... Les mouchoirs qui, goutte à goutte, s'égouttent...
Quand enfin, il a terminé, il s'assoit, le cœur léger.

C'est alors qu'un petit vent magicien
se met à souffler si fort que, un à un,
les mouchoirs se décrochent et s'envolent
dans une ronde folle !
Il souffle encore et encore, ce petit vent
polisson, et, chagrins à pois, à rayures,
à fleurs, à trous, à carreaux, de toutes les
couleurs... se transforment... en papillons !
Ces jolies petites bêtes à bonheur volent,
volettent autour de Célestin, qui,
joyeusement, repart sur les chemins
pour ramasser les petits soucis,
les petits riens, les gros bobos,
les gros chagrins.

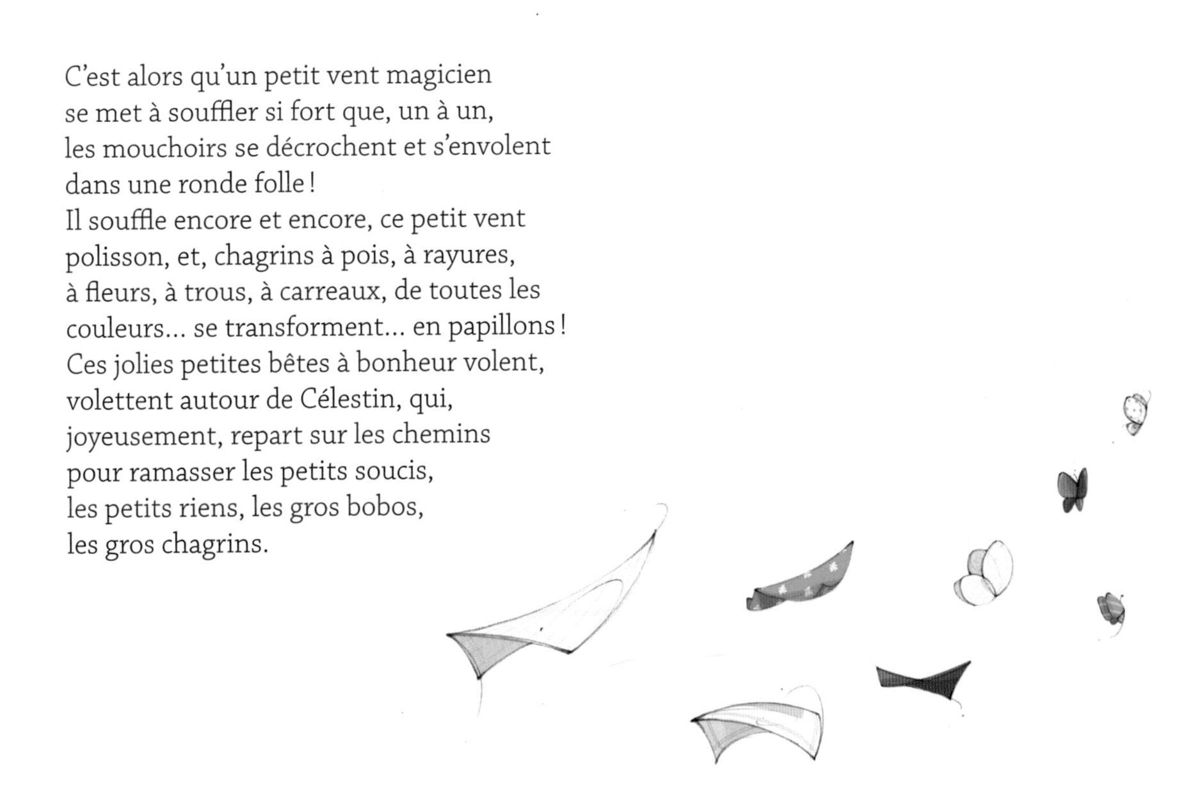

Gare au dragon !

Philippe Barbeau, illustrations d'Éric Puybaret

Au creux d'une profonde vallée se trouvait un village. Les habitants de ce village vivaient tranquillement depuis toujours.
Le chasseur chassait, le cultivateur cultivait et le forgeron forgeait.
Ils étaient très heureux.

Hélas, un jour, un dragon gros, gras et ventru arriva. Il rugit, cracha du feu sept fois, puis il s'installa dans une grotte au fond de la vallée, près du village.

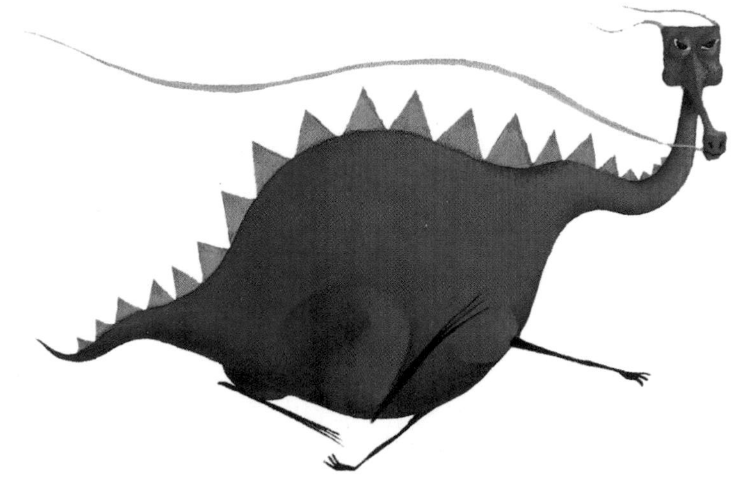

Le chasseur ne chassa plus avec le même plaisir, le cultivateur ne cultiva plus avec la même joie et le forgeron ne forgea plus avec le même entrain.
Les villageois avaient peur du dragon.

Alors le maire se rendit à la grotte.
Il supplia d'une voix tremblante :
– Dragon ! Éloigne-toi de notre village !
Le dragon gros, gras et ventru rugit, cracha du feu sept fois, puis il gronda :
– Je partirai quand j'aurai fait un bisou à l'un d'entre vous. Que trois villageois viennent me voir avec un cheval.

Le maire, catastrophé, regagna le village.
Il demanda trois volontaires
pour obéir au dragon.
– Je dois chasser, dit le chasseur. Si je vais voir le dragon, vous n'aurez plus de bonne viande à manger.
– Je dois cultiver, ajouta le cultivateur.
Si je vais voir le dragon, vous n'aurez plus de blé pour faire du pain doré.
– Je dois forger, expliqua le forgeron.
Si je vais voir le dragon, vous n'aurez plus d'outils pour travailler.

Les autres villageois avaient aussi de très bonnes excuses. Seul Zozo dit :
– Je veux bien y aller !
Zozo était le plus maladroit des villageois. Quand il plantait un clou, il se tapait sur les doigts. Quand il grimpait sur une échelle, il se flanquait par terre. Quand il nettoyait une étable, il tombait dans le fumier.
Il était aussi très mal habillé, avec une veste trop large, un pantalon trop long et des chaussures trop grandes.
Vraiment, il était ridicule.
Pourtant, tout le monde aimait Zozo.
Mais le maire ne l'écouta pas, et il bougonna :
– Puisque c'est ainsi, je vais me dévouer.
Flanqué de deux conseillers, il choisit un cheval et partit vers la grotte.

– Ah, quel malheur ! se lamentèrent le chasseur, le cultivateur, le forgeron et les autres villageois. Le maire, les deux conseillers et le cheval vont se faire griller, hacher menu et dévorer !
Et chacun courut se réfugier dans sa maison.
Un grand silence tomba alors sur le village.

Soudain, du côté de la grotte, un rugissement retentit. Le cheval poussa un terrible hennissement, et le maire et les deux conseillers crièrent des « Ah ! » des « Oh ! » des « Ouh ! »
Les cris retentirent de longues minutes, puis le silence revint. Le dragon gros, gras et ventru avait dû faire griller, et hacher menu, le maire, les deux conseillers et le cheval avant de les dévorer...

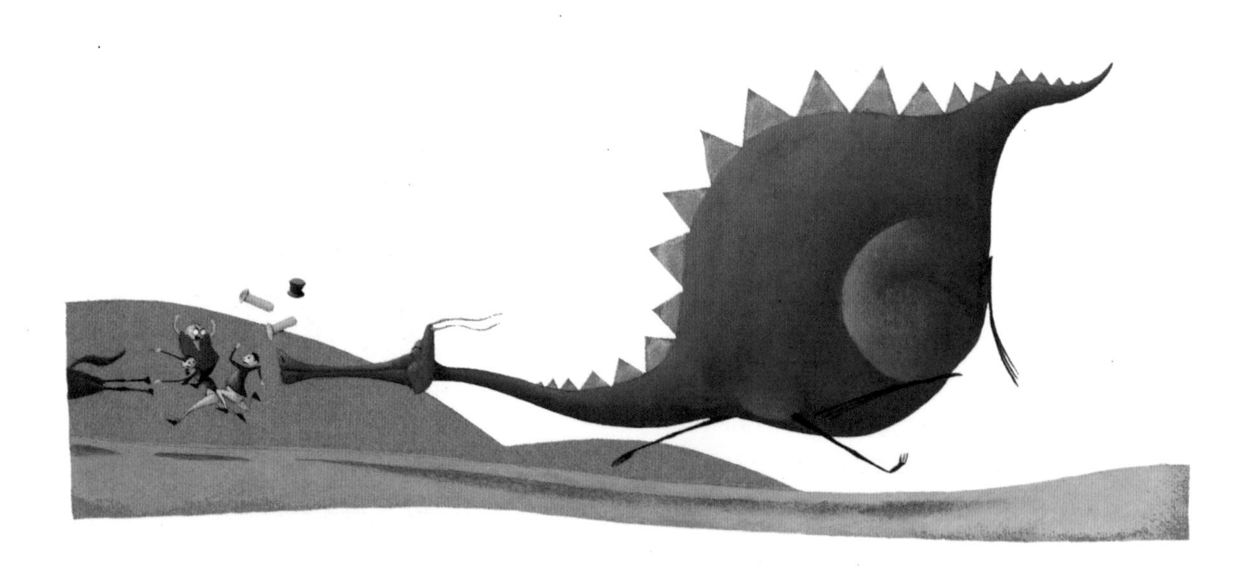

Les villageois sortirent de chez eux
et se réunirent sur la place de l'église.
Le chasseur s'apprêta à faire un discours
en souvenir des disparus.
Soudain titubants, fumants... mais vivants,
le maire, les conseillers municipaux
et le cheval réapparurent. Les villageois
hurlèrent de joie et demandèrent
ce qui s'était passé.

– Ce dragon est fou ! expliqua le maire.
Il a d'abord sauté sur le dos du cheval
et l'a à moitié écrabouillé. Ensuite, il nous a
attrapés tous les trois et nous a jetés en l'air,
comme s'il jonglait avec nous. Enfin,
il a essayé de nous embrasser ;
alors on s'est sauvés !
– Demain, poursuivit le premier conseiller,
il exige que trois d'entre nous viennent
encore le voir avec un cheval.
– Il en sera ainsi tous les jours, conclut
le deuxième conseiller. Il faut nous en
débarrasser, sinon...

Et le maire demanda un volontaire pour aller
tuer ce dragon. Les villageois regardèrent
le ciel en sifflotant.

Seul Zozo dit :
– Je veux bien y aller !
Le maire ne l'écouta pas plus que la première
fois, et il ordonna :
– Toi, le chasseur, prends ton arc
et tes flèches, et va tuer le dragon.

Le chasseur partit la mort dans l'âme.
Il était certain de se faire griller, hacher menu
et dévorer. Il revint pourtant une heure
plus tard, titubant, fumant... mais vivant.
Le dragon gros, gras et ventru, lui, se portait
toujours à merveille.

Le cultivateur partit ensuite pour l'égorger avec sa faux. Puis le forgeron le rejoignit pour assommer le dragon avec son gros marteau. Et tous deux revinrent titubants, fumants... mais vivants. Le dragon gros, gras et ventru, lui, était toujours en pleine forme.

Le maire s'apprêtait à désigner quelqu'un d'autre quand Zozo annonça encore :
– Je vais y aller !
Le maire l'entendit enfin, et souffla :
– Bah ! Si tu veux.

Zozo prit un bouclier et se donna un coup sur le nez. Tout le monde sourit.
Zozo passa une épée à sa ceinture et déchira son pantalon. Tout le monde pouffa.

Zozo grimpa sur un vieux cheval et se retrouva par terre.
Tout le monde éclata de rire.
Enfin, Zozo remonta sur le cheval et partit vers la grotte. Plus personne ne rigola.

Quand il aperçut Zozo, le dragon gros, gras et ventru rugit et cracha du feu sept fois.
Zozo tira son épée. Déséquilibré, il tomba du cheval. Le dragon sourit.
Zozo leva son épée. Sans le faire exprès, il coupa une branche qui lui dégringola sur la tête. Le dragon pouffa.
Zozo s'élança, l'épée en avant. Il s'empêtra aussitôt dans ses vêtements, et s'étala au milieu d'une flaque de boue.
Le dragon éclata de rire.

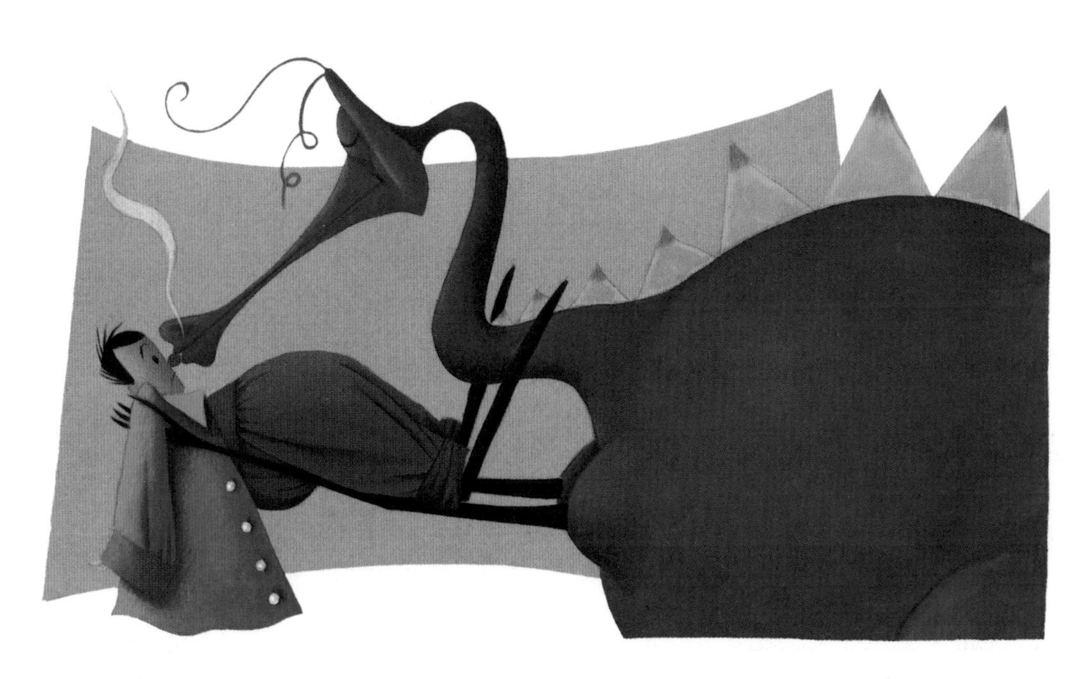

Plus Zozo essayait de se relever, plus il s'empêtrait. Le dragon gros, gras et ventru rit tant et tant qu'il en pleura. Peu à peu, les larmes éteignirent le feu de sa gorge. Alors, il s'approcha de Zozo toujours emmêlé dans ses vêtements trop grands.
Il l'attrapa et... lui donna un bisou sur le nez.
Le museau du dragon était encore chaud.
Le nez de Zozo rougit aussitôt.

Un éclair jaillit et le dragon redevint tel qu'il était autrefois, avant qu'un abominable sorcier ne lui jette un sort : une très belle écuyère jongleuse.

L'écuyère jongleuse saisit la main de Zozo. Ils s'en allèrent ensemble et fondèrent un cirque. Avec son nez rouge et ses vêtements trop grands, Zozo devint le premier clown.

Depuis, les années ont passé.
Mais, en souvenir de Zozo, les clowns portent souvent un nez rouge et des vêtements trop grands.

La nouvelle chambre de Titou

Sylvie Poillevé, illustrations de Madeleine Brunelet

Titou aime sa chambre au papier bleu,
sa petite ferme pleine d'animaux
et son joli tableau où quatre éléphants
se suivent à la queue leu leu.

Titou aime se pelotonner dans son lit bateau
entre son lapin blanc et son petit agneau,
avec sa couverture aux légères vagues
bleutées bien remontée jusqu'au nez.

Mais ce que Titou aime par-dessus tout,
c'est le gros soleil rouge qui se couche tous
les soirs comme lui et semble lui dire bonsoir
de l'autre côté de sa fenêtre.
Alors Titou s'endort le sourire aux lèvres...

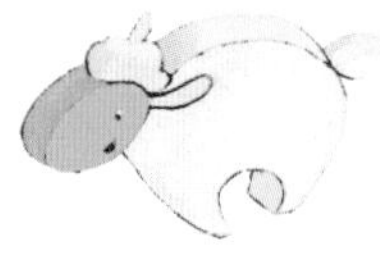

Rêve, Titou rêve... de jouer à saute-mouton
par-dessus le soleil qui roule comme
un ballon.

Rêve, Titou rêve... du soleil doré, du soleil parfumé dans lequel, comme dans une galette, il va croquer.

Mais ce matin, vite, vite, il faut tout ranger : sa ferme, son tableau, son lapin, son agneau ! Vite, vite, il faut tout mettre dans de grands cartons qui vont partir vers sa nouvelle maison.

Dans sa nouvelle maison, sa chambre est plus grande, mais il y a le même joli papier bleu, toutes ses petites affaires qu'il aime. Titou est heureux. Il a bien son agneau, son lapin blanc...

Pourtant, catastrophe ! Pas de gros soleil rouge pour lui dire bonsoir de l'autre côté de sa fenêtre.
La nuit est noire !
Quel cauchemar ! Où est parti le soleil ?

Titou se retourne mille fois dans sa couverture aux légères vagues bleutées avant de s'endormir épuisé.

Rêve, Titou rêve... vilain rêve d'une course folle derrière le soleil qui s'enfuit.

Quand Titou se réveille, triste et fatigué, une belle surprise l'attend de l'autre côté de sa fenêtre.
Un gros soleil rose vient de se lever !...

Hubert et les haricots verts

Anne-Marie Chapouton, illustrations de Serge Ceccarelli

– Hubert ! Mange tes haricots verts !
– Non ! Je n'en veux pas, répond Hubert.
– Hubert !
Soudain... *Toc... Toc... Toc !*
Qui peut frapper à cette heure-ci ?
Maman ouvre.

C'est un drôle de monsieur, tout vert.
Mais non ! Ce n'est pas un monsieur !
C'est un haricot vert. Avec un chapeau
à fleurs et des pantoufles roses aux pieds.

Et le monsieur haricot vert dit :
– Je suis le Grand Mamamouchi des haricots
verts ! Et je veux voir Hubert !
– Hubert... dit Maman, c'est le Grand
Mamamouchi des haricots verts
qui veut te voir...

– Ah ? dit Hubert, qui boude.
– Hubert, dit le Grand Mamamouchi, vas-tu, oui ou non, manger tes haricots verts ?
– Ah ! non alors ! répond Hubert. Je les déteste !
– Très bien, répond le Grand Mamamouchi. Et il compte : Un, deux, trois... *Pouf !*

Un peu de fumée, et voilà Hubert transformé en haricot vert. Ses bras et ses jambes tout verts sortent d'un corps maigre et vert, et sa tête, toute verte aussi, est couverte de cheveux verts...
Alors, le Grand Mamamouchi s'en va, sans même dire au revoir !

C'est l'heure de partir à l'école. Maman accompagne son Hubert-haricot vert. La maîtresse s'étonne :
– Tiens, un nouveau ?
– Non, dit Maman, très ennuyée, c'est Hubert...
Et elle raconte l'histoire à la maîtresse.
– Nous n'avons pas le droit d'avoir des légumes dans la classe comme élèves, dit la maîtresse. Mais... comme c'est Hubert... Je veux bien l'accepter aujourd'hui, exceptionnellement.

À la récréation, les enfants tournent autour d'Hubert.
– Est-ce que tu as des fils ?
– Est-ce que tes parents vont te manger en salade ?
Mais, eux aussi, ils se font du souci : pourvu que le Grand Mamamouchi ne leur rende pas visite un de ces jours... Ils auraient des ennuis.
Hubert leur dit :
– Vous savez, il compte jusqu'à trois, et puis *Pif ! Pouf ! Paf !* c'est fait !
À la sortie, Maman vient chercher Hubert-haricot vert.
– Alors, ça va ?
Pas de réponse.
En arrivant à la maison, Maman dit :
– Tu ne veux pas les manger maintenant ? Je suis sûre qu'alors, le Grand Mama...
– Non ! hurle Hubert.
Hubert regarde Maman sucrer la compote de pommes, en balançant ses pieds verts sur les barreaux d'une chaise.

La nuit tombe. Un bruit de clef dans la serrure. Voilà Papa !
– Oh ! dit Papa, qu'est-ce que c'est que cette chose verte ?
– Allons, dit Maman, regarde-le de près... c'est Hubert !
Et voilà Maman qui se met à pleurer comme ça, tout d'un coup, et qui raconte l'histoire à travers ses larmes.
– C'est incroyable ! dit Papa.

Maman sert la soupe.
Soudain, une petite voix s'élève :
– Maman... donne-moi mes haricots verts !
Vite, vite, Maman va chercher l'assiette dans le réfrigérateur.
Hubert se jette dessus en fermant les yeux.
Il avale tous ses haricots verts. *Gloup !*
Comme ça, tout froids.

Alors... on entend... *Toc... Toc... Toc !*
Mais oui, c'est Lui !
Un... Deux... Trois... ! *Pouf !*
Et voilà Hubert redevenu petit garçon.
Le Grand Mamamouchi s'en va aussi vite qu'il est venu. Quelle stupéfaction !

Tout le monde rit pendant que Maman sert les petits pois.
– Encore des petits pois ! dit Papa.
J'ai horreur de ça. Tu le sais bien !
Je n'en veux pas !
– Écoute, chéri, j'ai mis des petits lardons dedans et...
– N'insiste pas, dit Papa en repoussant son assiette.

Mais, à ce moment, on entend :
Toc... Toc... Toc !
– Ha, ha ! dit Hubert, c'est maintenant qu'on va rire !

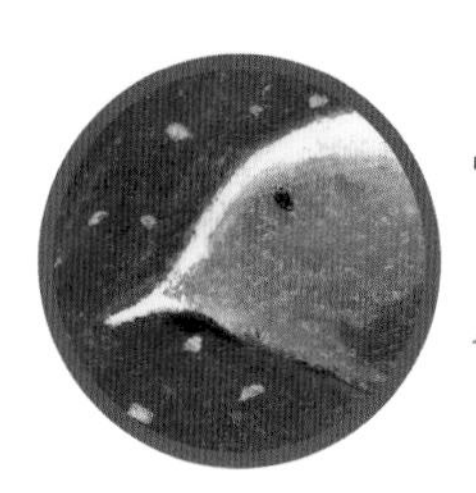

Les plumes d'oiseaux de lune

Agnès Bertron-Martin, illustrations de Nicolas Debon

Sur la terre de l'immense pays qu'est la Russie, les hivers sont blancs et d'une grande beauté. Mais à cause du tsar Igor, ils sont aussi longs et terribles pour ceux qui n'ont que trois fois rien pour vivre.
Le tsar porte une cape de zibeline si grande que tous les paysans pourraient s'y réchauffer.
Dans son palais, il y a des cheminées dans lesquelles brûlent des arbres entiers, des bassins où coule la vodka, du velours, des tapis en fourrure d'ours, et le lit du tsar est fait avec des draps tissés d'or !
Mais tout cela ne lui suffit pas.
Alors il monte dans sa troïka d'ébène tirée par sept loups, et il s'élance à travers le pays pour prendre tout ce qu'il peut.
Son regard brûlant, sa bouche sévère, ses ordres et ses colères font trembler, pleurer, souffrir les gens qui vivent là-bas.
Et leur vie serait un enfer sans l'aide des oiseaux de lune.

Car, dans le ciel immense, vivent trois oiseaux de lune. Ce sont des oiseaux de légèreté, de lumière et de bonté. Quand la nuit tombe, et que la lune se lève, les trois oiseaux de lune s'éveillent. Ils s'élancent à tire d'ailes, à travers le pays, pour voler au secours de ceux qui n'ont que trois fois rien pour vivre. Ils écoutent les pleurs, les soupirs, les chagrins.

Et, à ceux qui en ont besoin, ils apportent, dans leur bec de lumière, de petites choses qui deviennent de grandes choses qui font du bien. Un brin de paille devient un lit, une patate nourrit une famille affamée, et un peu de blé devient un pain long comme le bras.

Aliocha, lui, ne tremble jamais, ni de peur, ni de froid. Pourtant cet enfant-là n'a que des habits de grosse toile mal taillée, et à ses pieds, de lourds souliers de bois.

Une nuit, pour la première fois, il laisse échapper un soupir de douleur. Ses souliers de bois sont devenus trop petits : il a mal aux pieds. Vite, les oiseaux de lune viennent défaire ses lacets. Aussitôt, Aliocha se met à flotter... Les oiseaux de lune sont étonnés, et heureux aussi, qu'Aliocha soit si léger. Alors ils le conduisent jusqu'à leur nid.

Les oiseaux lui disent :
– Écoute notre secret. Il y a quelqu'un qui souffre terriblement sur la terre de Russie. Mais nous ne pouvons rien faire pour lui. C'est le tsar Igor. Toutes les nuits, il pousse de terribles soupirs. Nous savons pourquoi : une pierre s'est logée dans son cœur. Une pierre glacée, tellement glacée qu'elle le brûle. C'est cette souffrance qui le rend cruel. Nous voudrions l'aider. Hélas, nous ne pouvons l'approcher sans mourir. Nous ne pouvons approcher du palais à cause des loups ! Nous ne pouvons approcher d'Igor à cause de sa cruauté ! Nous ne pouvons approcher de son cœur à cause d'une porte, toute petite, mais si bien fermée que jamais des oiseaux, qui n'ont pas de main, ne pourront l'ouvrir ! Nous avons besoin des hommes, mais qui voudrait aider un tsar aussi cruel ?
– Moi, je le ferai ! s'écria Aliocha.

Alors, comme le jour allait se lever et la lune disparaître, juste avant de s'endormir, heureux, les trois oiseaux de lune ont murmuré :
– Aliocha, nous voulons t'offrir trois plumes pour t'aider. Avec chacune de ces plumes, une petite chose deviendra beaucoup. Prends-en soin et rapporte-les-nous avant que la lune se lève, car nous en avons besoin pour voler.

Aliocha prend doucement au premier oiseau une plume de légèreté, au deuxième oiseau une plume de lumière, et au troisième oiseau une plume de bonté.

Avant qu'Aliocha ne remette ses souliers, les oiseaux les caressent de leurs ailes pour qu'ils ne soient plus trop petits.

Puis Aliocha redescend sans bruit vers la terre de Russie. Au moment où le soleil se lève, il prend le chemin du palais.

Quand Aliocha arrive devant l'immense bâtisse, les sept loups le menacent de leurs crocs.
Vite, il arrache une herbe à ses pieds.
Il passe dessus la plume de légèreté et, aussitôt, l'herbe s'allonge en une corde immense, fine et solide.
Avec cette corde, Aliocha ligote les loups bien serrés.

Aliocha entre dans le palais.
Vite, il traverse des salons, marche
sur des tapis, contourne des bassins et,
enfin, il arrive devant le tsar Igor.
Il fixe avec douceur les yeux perçants du tsar
mais les yeux du tsar restent brûlants.
Aliocha lui dit :
– Je sais que vous souffrez et je viens
pour vous soulager.
Mais le tsar Igor hurle :
– Sors de ce palais ou je t'étoufferai dans
mon manteau !
Vite, Aliocha souffle sur la plume de lumière,
et sa respiration se transforme
en une immense bourrasque qui arrache
le manteau et fait tomber le tsar par terre.

Aliocha s'agenouille contre le cœur du tsar.
Il voit tout de suite la petite porte de fer
bien fermée dont avaient parlé les oiseaux.
Il prend la plume de bonté, la glisse dans
la serrure et la fait tourner comme une clé.
La porte s'ouvre. Aliocha sent sur son visage
le souffle glacé qui s'échappe du cœur du tsar.
Une pierre roule par terre et, aussitôt,
un sourire apparaît sur la bouche du tsar.
Bientôt son visage rayonne comme le soleil
de Russie.

Le soir, Aliocha rapporta les trois plumes aux oiseaux.
Mais cette nuit-là, quand la lune se leva, ils n'eurent rien à faire. Car le tsar Igor avait ouvert grand la porte de son palais.
Et il y eut tant de monde devant les cheminées, tant de rires, de chansons, tant de fourrures, de vodka et d'or partagés que, dans la nuit de Russie, pour la première fois, ne retentit pas le moindre soupir, ni la moindre douleur, ni le moindre chagrin.

Les oiseaux de lune étaient tellement heureux qu'ils agitèrent leurs ailes dans une danse pleine de beauté.
Et dans le ciel de Russie, il neigea des plumes d'oiseaux de lune.

Le roi qui rêvait d'être grand

Texte et illustrations de Jean-François Dumont

Il était une fois un roi si grand, qu'on l'appelait Albert le Grand. Il régnait il y a bien longtemps sur un petit pays, juste de l'autre côté de la mer.
Le jour où la reine donna naissance à un garçon, son bonheur fut complet. Il s'écria :
– Nous l'appellerons Aldebert, et, plus tard, le monde entier acclamera Aldebert le Grand !

Les années passèrent heureuses et insouciantes pour Aldebert.
Mais un jour, la reine s'inquiéta :
le prince n'était pas très grand pour son âge, et ses camarades de jeux le dépassaient déjà d'une bonne tête.

Avec le temps, il fallut bien se rendre à l'évidence : Aldebert ne grandirait plus !
Les médecins les plus réputés se succédèrent sans résultat à son chevet. En désespoir de cause, le roi appela les plus grands mages à son secours, mais aucune potion, aucune formule magique ne fit grandir le petit prince.

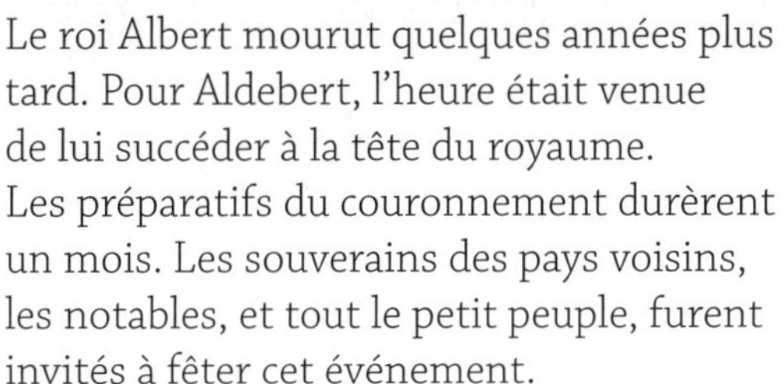

Le roi Albert mourut quelques années plus tard. Pour Aldebert, l'heure était venue de lui succéder à la tête du royaume. Les préparatifs du couronnement durèrent un mois. Les souverains des pays voisins, les notables, et tout le petit peuple, furent invités à fêter cet événement.

Au moment de poser la couronne sur le front du nouveau roi, un murmure parcourut la foule : la couronne était beaucoup trop grande pour sa petite tête !
Et, à l'instant où le nouveau souverain commençait son grand discours, on entendit une voix s'élever, suivie de grands éclats de rire :
– Albert le Grand est mort, vive Aldebert le Roitelet !

Rentré au château, fou de rage, Aldebert piqua une colère terrible. Les meubles, la vaisselle, les tentures, rien ne résistait à son épée. Lorsque tous les objets de la pièce furent détruits, il se calma enfin.

« Ainsi, se dit-il, ils osent se moquer du roi ! Ils ont tort ! Si je ne peux être Aldebert le Grand par la taille, je le serai par mes travaux ! »

Et le nouveau roi se lança dans la construction du plus grand château que le monde ait jamais connu.
Il fit venir les plus grands charpentiers, les plus grands tailleurs de pierres, les plus grands architectes et les plus grands peintres. Il acheta à prix d'or d'immenses blocs de marbre blanc et de granit veiné de rose. Les plus beaux vitraux, les plus riches tentures furent commandés aux meilleurs spécialistes, et un nouveau palais s'éleva bientôt à la place de l'ancien.

Décidé à savoir si son peuple appréciait sa grandeur, Aldebert se déguisa en mendiant, sortit du palais, et interpella un paysan qui passait sur la route.
– Pitié, mon bon seigneur, la charité pour un pauvre mendiant !
Le paysan lui répondit :
– Diable, avec tous les impôts qui nous accablent, nous ne sommes guère riches aujourd'hui. Mais voilà quand même quelques pièces.

Aldebert le remercia et l'interrogea :
– Dites-moi, mon bon seigneur, quel est donc le grand roi qui possède ce si beau château ?
– Ah ! lui… répondit le paysan en riant. Si le château est grand, le roi ne l'est pas tant : c'est Aldebert le Roitelet !

De retour chez lui, Aldebert fut envahi par la tristesse.
« Si un château ne suffit pas, se promit-il, alors je deviendrai un grand savant, et mes sujets admireront mes connaissances et ma sagesse. »

Il fit venir les plus illustres philosophes, physiciens et astronomes, et suivit leur enseignement avec sérieux et application. Il construisit la plus grande bibliothèque jamais bâtie, et lut tous les ouvrages qu'elle contenait ; il réalisa toutes les expériences de chimie que l'on connaissait et, un jour, les savants du monde entier lui remirent le titre envié de "Grand Docteur Honoris Causa".

Assez satisfait de sa réussite, Aldebert remit son costume de mendiant. Et, rencontrant un paysan, il s'adressa à lui en geignant :
– Pitié, mon bon seigneur, la charité pour un pauvre mendiant !
– Ah ! mon brave, l'argent ne pousse pas sur les arbres pour nous autres… mais voici quelques piécettes pour t'aider.
– Merci mille fois, mon bon seigneur. Mais dites-moi, on répète partout, dans le pays, que votre souverain est un grand savant, et que nul n'en sait plus que lui… Quel est le nom de ce grand roi ?

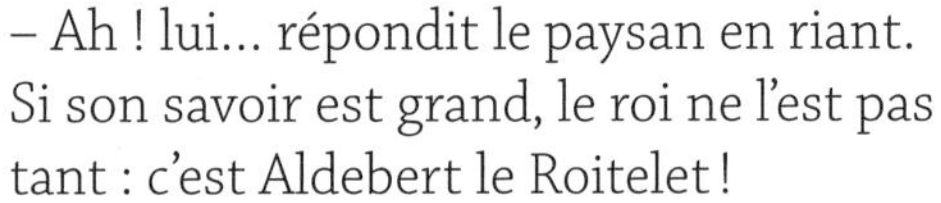

– Ah ! lui… répondit le paysan en riant. Si son savoir est grand, le roi ne l'est pas tant : c'est Aldebert le Roitelet !

De retour chez lui, Aldebert laissa éclater sa colère et sa rancœur :
« Si mon savoir ne suffit pas, alors je deviendrai un grand chef de guerre, et je dominerai le plus grand royaume que l'on ait jamais vu. »

Et le roi engagea les meilleurs soldats, les meilleurs armuriers, les plus audacieux stratèges, et il déclara la guerre à ses voisins. En peu de temps, il remporta victoire sur victoire et, bientôt, il régna sur un immense pays.

Fier de ses succès, Aldebert partit à la rencontre du paysan qui l'avait auparavant aidé, et il l'implora :
– Pitié, mon bon seigneur, la charité pour un pauvre mendiant !
– Ah ! malheureux, les temps sont durs sans hommes valides pour travailler dans les champs… mais prends ces quelques sous pour survivre.
– Merci bien, mon bon seigneur. Mais, à propos, on m'a dit que votre roi était un grand guerrier, et qu'il possédait un si grand royaume, que nul n'en voyait la fin. Quel est le nom de ce grand roi ?
– Ah ! lui… répondit le paysan en riant. Si le royaume est grand, le roi ne l'est pas tant : c'est Aldebert le Roitelet !

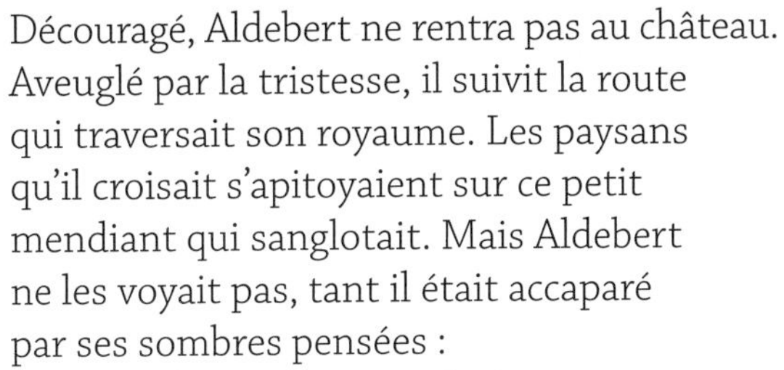

Découragé, Aldebert ne rentra pas au château. Aveuglé par la tristesse, il suivit la route qui traversait son royaume. Les paysans qu'il croisait s'apitoyaient sur ce petit mendiant qui sanglotait. Mais Aldebert ne les voyait pas, tant il était accaparé par ses sombres pensées :
« Pauvre de moi, pensait-il, rien ne peut me grandir aux yeux des autres, je ne serai toujours que ce roi minuscule dont on se moque ! »
Aldebert franchit la haute montagne qui ceinturait son royaume, longea un fleuve bouillonnant, traversa une immense plaine où des fermiers faisaient paître leurs troupeaux.

Il marcha ainsi de longs jours et de longues nuits, ignorant où ses pas le menaient, jusqu'à ce qu'il sente l'épuisement le gagner, et qu'il s'endorme au bord d'un ruisseau.

Lorsqu'il rouvrit les yeux, le soleil disparaissait à l'horizon.
Assoiffé, Aldebert s'approcha du ruisseau et, se penchant au-dessus de l'eau, il découvrit son reflet. Aussitôt, la tristesse l'envahit de nouveau, il n'était toujours qu'un roitelet.

Les larmes commençaient à lui monter aux yeux, lorsqu'il lui sembla entendre une musique joyeuse. Intrigué, Aldebert s'approcha, et se cacha derrière un arbre.

Là, il découvrit une roulotte peinte de couleurs vives, et garée non loin de la berge. Autour d'un feu, un groupe de troubadours chantait en s'accompagnant d'un luth. Tous avaient l'air heureux de répéter un nouveau numéro, et souriaient en jonglant, marchant sur les mains ou crachant des flammes.

Tout à coup, un des chiens acrobates, qui marchait sur les pattes de devant, l'aperçut et aboya. Les troubadours l'entourèrent, et l'invitèrent aussitôt à se joindre à eux. Effrayé à l'idée qu'ils puissent se moquer de sa petite taille, Aldebert faillit refuser. Mais il accepta finalement.
Il passa la plus belle soirée de sa vie, admirant l'adresse de tous, riant aux pitreries des ours, frissonnant devant l'avaleur de sabres, tapant dans ses mains, et reprenant les refrains en chœur.

À la fin du repas, Aldebert raconta la triste histoire de sa vie. Ses nouveaux compagnons l'écoutèrent en hochant la tête et, lorsque le petit roi se tut, le joueur de luth prit la parole :
– Nous aussi, nous avons été la risée de nos voisins. Notre vie a souvent été difficile mais, maintenant, nous amusons ceux qui autrefois se moquaient, et ceux qui nous injuriaient nous applaudissent. Si tu le souhaites, tu peux te joindre à nous. Nous te trouverons certainement un rôle dans notre spectacle, et, avec du courage et de la ténacité, tu auras ta place parmi nous.

Pendant ce temps, les gardes et les gens du château cherchaient le roi dans le palais. Mais Aldebert était introuvable !

Pour ne pas inquiéter la population, on prétexta une visite inopinée chez un monarque voisin, en espérant un retour rapide du roi. Ce mensonge ne calma pas les préoccupations de ses sujets, et les plus folles rumeurs se répandirent dans la campagne.

Quelques semaines plus tard, le chapiteau des troubadours s'installait sur la place du château. Trop heureux de se changer les idées, tout le monde se précipita pour découvrir les artistes.
La représentation battait son plein quand Aldebert entra en scène.

Son numéro à peine commencé, les rires fusèrent, des rires énormes qui tombaient des gradins, secouaient la toile du chapiteau, parcouraient la ville déserte pour se perdre dans la campagne alentour. Mais cette fois, ce n'étaient pas des rires de mépris ou de moquerie !
Et, quand le petit roi acheva son numéro, une gigantesque ovation salua le clown Aldebert, le plus grand clown que l'on ait jamais vu.
Aldebert s'avança vers le public sous les acclamations. Personne ne vit la petite larme de joie et de fierté qui roulait sur son maquillage.

Tu m'aimes, dis ?

Simone Schmitzberger, illustrations d'Anne Letuffe

– Dis, Maman, tu m'aimes ?
– Oui, je t'aime, Petit Ourson.
– Pourquoi tu m'aimes ?
– Parce que tu es doux et bien chaud, que tu sens bon la noisette...
– Et pourquoi encore ?
– Parce que tu as des étoiles dans les yeux quand je dis ça ! Parce que tu es mon petit ourson chéri !
– Et Linours, tu l'aimes ?
– Oui, j'aime Linours.
– Pourquoi tu aimes Linours ? Elle est pas ta petite chérie, elle ?
– Je l'aime, parce qu'elle est ta copine.
– Tu l'aimes autant que moi ?
– Non, tu sais bien que je t'aime plus que tes copines !

– Et Loursane, tu l'aimes ?
– Bien sûr que j'aime Loursane !
– Pourquoi tu aimes Loursane, c'est pas ma copine ?
– Petit fou, j'aime Loursane parce qu'elle est ma sœur ! Nous avons la même maman. Tu sais, quand nous étions petites, nous dormions dans le même lit...
– Comme toi et Papa ?
– Oui, comme Papa et moi... mais, ce n'est pas tout à fait pareil... Papa et moi, nous n'avons pas la même maman !
– C'est qui ta maman ?
– Mais tu le sais bien, c'est Mamie-Gâtours !
– Alors... pourquoi tu aimes Papa ? Vous n'avez pas la même maman, et tu ne le connaissais même pas quand tu étais petite !
– C'est une question difficile...
– Moi, je sais, tu l'aimes parce qu'il est mon papa, hein ?

– Oui, maintenant, je l'aime aussi pour ça, mais quand je l'ai rencontré, il n'était pas ton papa, puisque tu n'étais pas né !
– Alors, dis-moi pourquoi tu as voulu qu'il soit mon papa ?
– Parce qu'il avait un beau sourire, et dans ses yeux, je voyais d'autres sourires qu'il ne faisait que pour moi... Et aussi parce qu'il faisait de jolis dessins, et que c'était aussi beau que ce qu'il y avait dans sa tête.
– Oh, je vois bien que tu préfères ses dessins aux miens !
– Non Petit Ourson, j'aime aussi tes dessins car ils parlent de toi et de ce que tu aimes.

– Et madame Bombinours, tu l'aimes ?
– Oui, je l'aime bien.
– Pourtant, elle est pas ta sœur !
– Non, c'est juste notre voisine.
– Pourquoi tu l'aimes bien ?
– Parce qu'elle est gentille, et qu'elle a toujours quelque chose à donner : un gâteau, un sourire...
– Et le vilain monsieur de l'ascenseur qui ne dit jamais bonjour, tu l'aimes ?
– Non, pas beaucoup... mais c'est peut-être parce que je ne le connais pas.
– On a le droit, hein, de ne pas aimer quelqu'un ?
– Oui, on a le droit de choisir ceux qu'on aime.
– Et ceux qu'on n'aime pas, on a le droit de les attaquer ?
– Mais non, petit coquin ! Tu n'es pas obligé d'inviter ceux que tu n'aimes pas à faire la fête avec toi, mais tu ne dois pas leur faire de mal.
– Et si je les invite à mon anniversaire ?
– Ils se mettront peut-être à t'aimer, et toi aussi ! C'est une belle idée !
– On aime combien de gens ?
– Ça dépend du cœur qu'on a... Il y a des gens qui ont de la place, et d'autres pas. Parfois, on a un grand cœur mais il y a quelqu'un dedans qui tient toute la place...
– Papa, il tient toute la place, hein, dans ton cœur ?
– Non, quand tu es né, il s'est poussé pour te faire la place qu'il te faut... Et maintenant tu vas dormir, Petit Ourson !
– Oui, mais dis-moi encore que tu m'aimes !
– Je t'aime, mon petit ourson chéri, bonne nuit...

La soupe aux cailloux

Raconté par Robert Giraud d'après la tradition, illustrations de Pascale Wirth

Les parents Smith ont une nombreuse famille, qu'ils ne savent comment nourrir. Le fils aîné, John, part à la ville chercher du travail, ses outils et ses vêtements de rechange dans son baluchon.
– Ne vous inquiétez pas pour moi, ma mère, mon père ! Je vais travailler dur, et je reviendrai avec tout l'argent que j'aurai gagné. Ainsi, vous-mêmes, mes frères et sœurs aurez une vie plus facile.

John espère arriver à la ville avant la nuit, mais la route est longue. Le quignon de pain qu'il avait emporté avec lui en guise de casse-croûte est avalé depuis longtemps. Son estomac commence à crier famine.
Soudain il aperçoit une ferme isolée en bordure d'un bois. Il se dit que c'est bientôt l'heure du dîner et que les fermiers ne refuseront sûrement pas de lui donner un morceau à manger.
John frappe à la porte de la ferme, la porte s'ouvre et la fermière apparaît.
– Bonjour, Madame la fermière ! J'ai marché toute la journée, j'ai faim et je suis fatigué. Puis-je vous demander l'hospitalité pour ce soir ? Dieu vous en récompensera.
Mais la fermière est avare et n'aime pas partager. Elle dit donc à John :
– Je n'ai rien à donner à un vagabond de ton espèce ! Passe ton chemin, et que je ne te revoie plus !

– Madame la fermière, précise John, je ne vous demande pas à manger. Je connais une excellente recette de soupe aux cailloux que je me préparerai moi-même. Tout ce qu'il me faut, c'est une grande marmite, de l'eau et un feu pour faire cuire ma soupe. Du sel, j'en ai un peu dans mon sac. Je ne vous causerai aucune dépense. Au contraire, pour vous remercier, je vous ferai goûter de ma soupe.

La fermière est intriguée par cette histoire de soupe aux cailloux, dont elle n'a jamais entendu parler. Quelle économie ce serait, si elle arrivait à faire de la soupe avec juste des cailloux ! Elle laisse donc entrer John pour prendre une marmite.

John ressort de la ferme avec une grande marmite, la pose en bordure du chemin et ramasse des cailloux.
– Regardez, Madame la fermière, comme ce caillou a l'air appétissant ! Il faut en prendre des bien ronds, des bien lisses, cela rend la soupe meilleure.

John a mis les cailloux dans la marmite, la marmite sur le feu et il explique à la fermière :
– La vapeur sort, les cailloux commencent à cuire. Ah, on va bien se régaler !

– Mais, j'y pense ! dit John. Comme vous allez en goûter, je voudrais qu'elle soit la plus réussie possible. Moi-même, je n'y ajoute jamais rien, mais j'ai entendu dire par la bonne du curé qu'avec un ou deux poireaux la soupe aux cailloux avait encore meilleur goût.

John soulève le couvercle de la marmite
et la fermière y jette un poireau.
– C'est bien pour vous faire plaisir ! dit-il.
Mais vous êtes si gentille avec moi que
j'aimerais que ma soupe soit excellente !

– Où donc avais-je la tête ? dit John
en se frappant le front. La bonne du curé
m'a aussi dit que, pour les grandes fêtes,
elle ajoutait dans sa soupe aux cailloux
une demi-douzaine de pommes de terre.
Vous qui m'avez permis d'utiliser
votre marmite, votre eau et votre feu,
vous méritez bien une soupe de fête !

John prend les pommes de terre
que la fermière est allée chercher
et les met dans la marmite.
– Ah, quelle chance que j'aie bien retenu
les leçons de la bonne du curé, se félicite-t-il.
Si elle me voyait, elle ne regretterait pas
de m'avoir raconté ses petits secrets.

– Oh, mais je vois que vous avez là un chou.
Il a l'air bien beau. Je n'ai jamais entendu dire
qu'on en mette dans la soupe aux cailloux,
mais, pour vous, j'ai bien envie d'essayer.

Et la fermière ajoute elle-même le chou
dans la marmite.
– Ma foi, tu as raison, dit-elle, ta soupe
commence à sentir bien bon. Tu as l'air
vraiment très fort en cuisine. Je vais quand
même te poser une question, tu me diras
ce que tu en penses. La bonne de ton curé
ne mettait-elle jamais de lard dans sa soupe
aux cailloux ?

John répondit :
– Je ne le lui ai jamais entendu dire,
mais on pourrait essayer.
La fermière reprit :
– J'en ai justement là un bout que j'avais mis de côté pour mon dîner. Prends-le !
La fermière, un peu inquiète, dit à John :
– J'espère qu'avec mon idée de lard, je n'aurai pas gâché ta soupe. Elle sentait déjà si bon !

La fermière fait honneur à la soupe de John.
– Ah, me voilà rassurée ! dit-elle. Délicieuse, ta soupe ! Je crois que nous la mangerons toute en une seule fois.
– Et vous voyez, Madame la fermière, comme ma soupe est économique !
Une fois qu'on l'a mangée, les cailloux restent entiers. Je peux les remettre où je les ai pris !
– C'est bien mon garçon. Mais il se fait tard.
Reste donc pour la nuit.

Et John s'installe confortablement dans le foin pour dormir.

Le lendemain matin, la fermière accompagne John jusqu'à la barrière et lui dit :
– Encore merci, mon garçon ! Et reviens aussi souvent que tu voudras pour me faire de cette excellente soupe aux cailloux, qui ne coûte rien à préparer !

Moitié-de-poulet

Raconté par Christine Frasseto d'après un conte populaire du Dauphiné, illustrations de Laurent Richard

En ce temps-là, dans une campagne pauvre et perdue au fin fond du royaume, vivait un jeune garçon qui élevait des poulets. Comme il était gringalet, et toujours couvert des pieds jusqu'à la tête des plumes de ses poulets, on le surnomma Moitié-de-poulet.

Un jour que le roi parcourait son royaume, il s'arrêta en ces terres désertes, et dit à son serviteur :
– J'ai faim ! Va me chercher de quoi faire ripaille ! Voici un sac de blé royal pour payer tes achats.

Le serviteur parcourut la campagne sans trouver âme qui vive. Pour prendre des forces, il plongea sa main dans le sac de blé. Le grain était si bon qu'il en prit une deuxième fois, puis une troisième fois... Et quand il aperçut enfin au-delà des collines la ferme de Moitié-de-poulet le sac de blé était complètement vide...

Moitié-de-poulet vint à la rencontre du serviteur.
– Bonjour, voyageur, dit-il. Que puis-je pour toi ?
Le serviteur répondit d'un air hautain :
– Donne-moi des poulets, par ordre du roi !
– Combien de poulets désire le roi ? demanda Moitié-de-poulet. Et que me donne-t-il en échange ?
– Donne-moi sept poulets, répondit vertement le serviteur, et demain, le roi te donnera un sac de blé royal pour récompense.

Moitié-de-poulet s'exécuta, se disant
que c'était un bon marché.
Le serviteur pensait que ce jeune sot n'irait
jamais réclamer son dû. Il repartit rejoindre
le roi, qui fit alors un excellent repas.
Le lendemain, Moitié-de-poulet attendit
toute la journée l'arrivée du roi, mais
celui-ci ne vint pas.
Le jour suivant, il attendit de même.
Le troisième jour, Moitié-de-poulet se dit :
« Eh bien, puisque le roi ne vient pas à moi,
je m'en vais lui réclamer le sac de blé
qu'il me doit. »

Et aussitôt, il mit son baluchon sur le dos,
et prit la route.

Après plusieurs heures de marche,
il s'arrêta au bord d'une rivière pour y boire.
Celle-ci lui demanda :
– Où vas-tu ainsi, Moitié-de-poulet ?
– Je m'en vais voir le roi. Un sac de blé,
il me doit.
– Oh ! Emmène-moi avec toi !
– Alors saute dans mon cou, rivière jolie !
Puis Moitié-de-poulet, son baluchon
sur le dos et la rivière dans le cou,
s'en repartit pour aller voir le roi.
En chemin, il rencontra un loup.
Celui-ci lui demanda :
– Où vas-tu ainsi, Moitié-de-poulet ?
– Je m'en vais voir le roi.
Un sac de blé, il me doit.

– Oh ! Laisse-moi t'accompagner.
– Alors saute dans mon cou, loup poli !
Puis Moitié-de-poulet, son baluchon sur le dos, la rivière et le loup dans le cou, s'en repartit pour aller voir le roi.

Plus loin, il rencontra un renard.
Celui-ci lui demanda :
– Où vas-tu ainsi, Moitié-de-poulet ?
– Je m'en vais voir le roi. Un sac de blé, il me doit.
– Oh ! Je peux venir avec toi ?
– Alors saute dans mon cou renard gentil !
Puis Moitié-de-poulet, son baluchon sur le dos, la rivière, le loup et le renard dans le cou, s'en repartit pour aller voir le roi.

Arrivé au palais, Moitié-de-poulet demanda à voir le roi. Mais les gardes lui rirent au nez :
– Regardez-le ce poussin-là ! Passe ton chemin, le roi n'a pas de temps à perdre avec toi.
– J'ai marché de longues journées, insista Moitié-de-poulet. Laissez-moi au moins rencontrer son serviteur !
Dès que celui-ci reconnut le jeune garçon, il entra dans une grande colère :
– Que viens-tu faire ici, sotte volaille ?
– Je viens réclamer au roi le sac de blé qu'il me doit ! répondit Moitié-de-poulet sans se laisser troubler.
Mais, ni une ni deux, le serviteur le saisit par le col, et le jeta dans la basse-cour.
– Bon débarras ! dit-il en se frottant les mains.

Les poulets, les coqs, les dindons, les canards et les oies se jetèrent sur Moitié-de-poulet, l'une lui donnant des coups de bec, l'autre le pinçant, jusqu'à ce qu'il crie :
– Au secours ! Ami gentil ! Au secours !
Aussitôt, le renard jaillit de son cou et dévora toutes les volailles.
Moitié-de-poulet le remercia et sortit de la basse-cour.

Moitié-de-poulet sitôt arrivé à la porte du roi, le serviteur s'interposa :
– Comment ? Te revoilà !
Et, ni une ni deux, le serviteur saisit Moitié-de-poulet par le col, et le jeta dans la bergerie
– Bon débarras ! dit-il en s'essuyant le front.

Les moutons, les chèvres et les vaches se jetèrent sur Moitié-de-poulet, l'un lui donnant des coups de cornes, l'autre des ruades, jusqu'à ce qu'il crie :
– Au secours ! Ami poli ! Au secours !
Aussitôt, le loup jaillit de son cou et dévora tous les animaux.

Moitié-de-poulet le remercia
et sortit de la bergerie.

Moitié-de-poulet était à peine arrivé
à la chambre du roi, que le serviteur
s'interposa :

– Encore toi !
Et, ni une ni deux, le serviteur saisit Moitié-de-poulet par le col, et l'attacha sur un grand bûcher pour le brûler.
– La voilà, la récompense du roi ! cria-t-il.

Les flammes et la fumée se jetèrent sur
Moitié-de-poulet, le brûlant et l'étouffant,
jusqu'à ce qu'il crie :
– Au secours ! Amie jolie ! Au secours !
Aussitôt, la rivière jaillit de son cou,
et éteignit le feu.
Moitié-de-poulet la remercia, mais la rivière ne voulut pas s'arrêter de couler. Elle coula tant et si fort, qu'elle emporta le méchant serviteur jusqu'à l'océan, où il se noya.

C'est ainsi que grâce à sa détermination
et à l'aide de ses compagnons,
Moitié-de-poulet put aller voir le roi
pour lui conter son histoire.
Ce roi, qui était fort juste et fort sage,
lui donna aussitôt un sac de blé royal
en échange de celui que le méchant
serviteur avait mangé. Et en plus,
il le nomma Ministre de l'Agriculture,
des Eaux et des Forêts.

Moitié-de-poulet fut le meilleur ministre
que le royaume ait jamais eu.
Et, lorsque le roi qui n'avait pas d'héritier
mourut, tous les sujets s'accordèrent
à demander à Moitié-de-poulet de devenir
leur nouveau roi, ce qu'il accepta avec joie !

Le petit bonhomme de pain d'épice

Raconté par Anne Fronsacq d'après la tradition,
illustrations de Gérard Franquin

Il était une fois un petit vieux et une petite vieille qui habitaient une jolie maison tout en haut d'une colline.

Le petit vieux aimait jardiner dans son jardin. Il cultivait toutes sortes de légumes et passait de longues heures à les regarder pousser.
La petite vieille, elle, aimait travailler bien au chaud dans sa cuisine. Chaque jour, elle confectionnait pour son époux de délicieux gâteaux.

Ce matin-là, elle décida de faire une surprise au petit vieux. Elle réfléchit un moment puis se mit à travailler sa pâte.
Bientôt, sous ses doigts habiles et agiles, apparut un beau petit bonhomme de pain d'épice qui souriait.

Ses yeux étaient deux raisins secs et sa bouche une cerise. La petite vieille plaça sur son habit des boutons en sucre candi et lui fit un chapeau en sucre d'orge de toutes les couleurs.
Puis elle mit le bonhomme de pain d'épice à cuire au four et s'assit sur sa chaise à bascule pour se reposer.

La petite vieille somnolait quand elle entendit tambouriner à la porte du four.
Elle se leva et ouvrit le four pour voir si le petit bonhomme de pain d'épice était cuit.
Il devait l'être car il lui fit un clin d'œil et d'un bond sauta hors du four, traversa la cuisine et s'enfuit par la porte ouverte.

– Arrête-toi ! lui cria la petite vieille en courant derrière lui.

Le petit bonhomme de pain d'épice arriva dans le jardin où le petit vieux soignait ses salades.
– Arrête-toi ! Arrête-toi ! cria le petit vieux, alors que le petit bonhomme de pain d'épice franchissait déjà la grille du jardin.

Le petit vieux abandonna son arrosoir et se lança, lui aussi, à la poursuite du fugitif.
– Courez, courez tant que vous voudrez. Jamais vous ne m'attraperez ! cria le petit bonhomme de pain d'épice.

Au détour du sentier, il passa devant un chat gris perché sur une barrière.
– Arrête-toi ! Arrête-toi ! Arrête-toi ! cria le chat.
Mais le petit bonhomme de pain d'épice se mit à rire et lui répondit :
– Cours, cours tant que tu voudras, tu ne m'attraperas pas ! La petite vieille et le petit vieux ne m'ont pas eu. Tu ne m'auras pas non plus !
Et il continua de courir de plus belle, suivi de la petite vieille, du petit vieux et du chat gris.

En traversant un pré, il rencontra une vieille jument qui broutait tranquillement.
– Arrête-toi ! Arrête-toi ! cria la jument.
Mais le petit bonhomme de pain d'épice rit à nouveau et répondit :
– Cours, cours tant que tu voudras,
tu ne m'attraperas pas ! La petite vieille,
le petit vieux, le chat gris ne m'ont pas eu.
Tu ne m'auras pas non plus !
Et il continua à courir de plus belle, suivi du petit vieux, de la petite vieille, du chat gris et de la vieille jument.

Quelques instants plus tard, il rencontra un petit garçon et une petite fille qui marchaient sur la route.
– Arrête-toi ! Arrête-toi ! cria le petit garçon.
– Arrête-toi ! Arrête-toi ! cria la petite fille.
Mais le petit bonhomme de pain d'épice se contenta de rire en leur disant :
– Courez, courez tant que vous voudrez,
jamais vous ne m'attraperez. La petite vieille, le petit vieux, le chaton gris et la vieille jument ne m'ont pas eu. Vous ne m'aurez pas non plus !

Et il continua de plus belle, suivi du petit vieux et de la petite vieille, du chat gris, de la vieille jument, du petit garçon et de la petite fille.

Un peu plus loin, dans une prairie, le petit bonhomme de pain d'épice aperçut une vache noire et blanche qui ruminait au soleil.
– Arrête-toi ! Arrête-toi ! lui cria-t-elle.
Mais le petit bonhomme de pain d'épice se mit à rire et lui répondit :
– Cours, cours tant que tu voudras, tu ne m'attraperas pas ! La petite vieille, le petit vieux, le chat gris, la vieille jument, le petit garçon et la petite fille ne m'ont pas eu.
Tu ne m'auras pas non plus !
Et il continua de courir de plus belle, suivi de la petite vieille et du petit vieux, du chat gris, de la vieille jument, du petit garçon, de la petite fille et de la vache noire et blanche.
Mais tous étaient épuisés, à bout de souffle.

Soudain, le petit bonhomme de pain d'épice se trouva devant une rivière large et profonde.
Comment allait-il faire pour la traverser ?
Il ne voyait ni pont ni passerelle.

Un renard roux surgit de derrière un buisson.
– Grimpe sur ma queue, dit-il au petit bonhomme de pain d'épice, et je te ferai passer la rivière bien au sec.

Aussitôt, le petit bonhomme de pain d'épice sauta sur la queue du renard roux et ils commencèrent la traversée.
Le renard nageait vite et bien mais l'eau montait.
– Saute sur mon dos si tu ne veux pas être mouillé, petit bonhomme, conseilla le renard.

Et le petit bonhomme de pain d'épice sauta sur le dos du renard.
Et ils continuèrent la traversée.

Mais l'eau montait encore.
– Saute sur ma tête, petit bonhomme, dit le malin renard.
Et le petit bonhomme de pain d'épice sauta sur la tête du renard, mais l'eau montait, montait toujours.
– Saute vite sur mon nez ! cria alors le renard.

Et le petit bonhomme de pain d'épice sauta, mais jamais il ne retomba sur le nez du renard. Le renard l'avait avalé.

N'est-ce pas triste ? Mais après tout, le pain d'épice n'est-il pas fait pour être mangé !

Maman ne sait pas dire non

Jo Hoestlandt, illustrations de Jean-François Dumont

Sami a une maman tout à fait extraordinaire !
C'est une maman qui ne sait pas dire non !
Ce n'est pas extraordinaire ça ?
Sami sait bien que ce n'est pas banal.
Il voit et il entend qu'autour de lui tout
le monde sait dire non.

Son papa, par exemple, sait dire non,
mais il n'est là que tard le soir et le dimanche ;
alors ça ne dérange pas beaucoup Sami.
De toute façon, puisque sa maman est là,
il ne demande rien à son papa.
Sa grand-mère sait très bien dire non et son
grand-père aussi. Sami a même l'impression
que son grand-père ne sait dire que cela :
– Non, non, non, mon petit bonhomme !
C'est assez agaçant.

Sami entend bien aussi que les autres
mamans savent dire non. Mais pas la sienne.
Quand Sami n'a pas envie de se lever,
sa maman lui dit :
– Oui, oui, oui, mon chéri, repose-toi,
reste au lit.

Si Sami ne veut pas se coucher
et déclare à sa maman :
– Laisse-moi tranquille, tu vois bien
que je suis en train de jouer !
Sa maman lui répond :
– Bon d'accord mon chéri, continue
de t'amuser encore un peu.

Quand Sami veut des bonbons, comme sa maman n'est pas sourde, elle entend très bien ce qu'il demande.
– Oui, oui, oui, dit-elle, je comprends que tu en aies tellement envie mon chéri, ils ont l'air délicieux !
Et elle lui en donne un, même si c'est juste avant de dîner, ou juste après avoir fini de se brosser les dents.

Si Sammy veut des petites autos, alors qu'il en a déjà une pleine caisse, un ballon rouge parce que le sien est vert et que celui-là est bien plus beau, plein de bonshommes en plastique qu'il a vus à la télé dans les dessins animés, sa maman ouvre tout grand son porte-monnaie et *hop là !* Ça y est ! C'est fait !
Le soir, quand Sami est assis devant la télé, et qu'il ronchonne :
– Je suis fatigué, mais je n'ai pas envie de dormir.
Sa maman n'insiste jamais ! Elle le laisse s'endormir devant la télé, voilà tout !

Jamais la maman de Sami ne l'oblige à ranger ses jouets quand il a fini de jouer. Il lui dit :
– Je suis fatigué, je n'ai pas envie de ranger, il y en a trop.
Et sa maman, qui est tout à fait extraordinaire, comprend que c'est vrai. Elle ne fait pas d'histoires, elle range tous les jouets toute seule, comme une grande !

Mais un jour, le papa et la maman de Sami ont un autre bébé. C'est une petite fille, qui s'appelle Zouine.
– *Ouin, ouin*, fait Zouine du soir au matin.
– Oui, oui, répond la gentille maman qui ne sait pas dire non. J'arrive tout de suite, mon joli bébé chéri. Arrête de pleurer !
Et la maman accourt avec le biberon.
– *Ouin, ouin*, fait encore Zouine qui ne sait faire que cela.
– Oui, oui, répond encore la maman qui ne sait dire que cela. Je viens, je viens ma petite fille adorée !
Et elle accourt avec une couche, un jouet, un petit baiser.

Mais Zouine se remet bientôt à pleurer, juste au moment où Sami appelle sa maman pour qu'elle vienne immédiatement lui mettre ses bretelles.
Et la maman court de la chambre de Zouine à la chambre de Sami.
Elle court de la cuisine pour préparer le biberon, aux cabinets où Sami hurle qu'on vienne lui enlever tout de suite ses bretelles parce qu'autrement il va faire pipi dans son pantalon !

À ce jour, Sami n'avait vu que des avantages à avoir une maman qui ne savait pas dire non. Mais avec l'arrivée de Zouine, les choses commencent à se gâter.
En effet, jusque-là, quand Sami criait à sa maman :
– Regarde, je vais sauter trois marches !
Sa maman répondait :
– Oh oui, bravo mon chéri.
Et elle se précipitait pour recueillir dans ses bras son jeune champion du saut dans l'escalier.

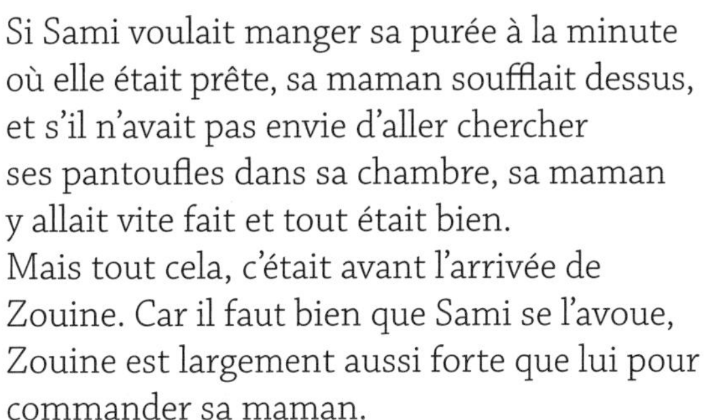

Si Sami voulait manger sa purée à la minute où elle était prête, sa maman soufflait dessus, et s'il n'avait pas envie d'aller chercher ses pantoufles dans sa chambre, sa maman y allait vite fait et tout était bien.
Mais tout cela, c'était avant l'arrivée de Zouine. Car il faut bien que Sami se l'avoue, Zouine est largement aussi forte que lui pour commander sa maman.

À présent, quand il crie à sa maman :
– Regarde-moi, je vais sauter trois marches !
Sa maman, qui a Zouine dans les bras, s'exclame :
– Attention !
Mais Sami s'aplatit comme une crêpe à l'arrivée sans que sa maman n'ait rien pu faire pour lui.

Quand Sami ne veut pas aller chercher ses pantoufles parce que sa chambre est beaucoup trop loin, sa maman, qui est occupée à pouponner le derrière de Zouine, dit « Oui, oui, oui » comme d'habitude ; mais elle met un temps fou à aller chercher ces maudites pantoufles !
Et pendant ce temps-là, qui est-ce qui se gèle les doigts de pied sur le carrelage ?
Qui est-ce qui s'enrhume ?
Ce n'est pas maman, évidemment !

Et quand il a tellement faim qu'il veut sa purée tout de suite, sa maman continue de la lui donner illico presto. Mais Sami se brûle si fort la langue qu'il pourrait faire un concours de cracheur de flammes avec un dragon, si un dragon acceptait le défi !

Bref, Sami trouve la vie moins agréable qu'avant. Il ne sait pas bien pourquoi, ni comment faire, et cela l'embête bien !

Mais un matin, voilà que la maman de Sami
ne se lève pas ! Ce n'est pas normal.
– Maman, lève-toi, demande Sami.
Mais elle ne répond rien du tout.
Sami l'entend juste ronfler comme
une marmotte de dessin animé.
– Maman, lève-toi, demande Sami
un peu plus fort.
Mais toujours aucun résultat.
Elle dort, elle dort, elle dort.

Sami reste là à s'embêter. Il a hâte, pour
une fois, que Zouine se mette à brailler.
Ça réveillera sûrement sa maman !
D'ailleurs, il va aider sa petite sœur
à se réveiller en allant secouer un peu
son berceau tout en chantant
un chant de guerre.

Sami court voir ce que cela donne
dans la chambre de sa maman.
– Oh non ! gémit Maman.
Et elle s'enfonce le nez dans son oreiller
douillet.
– Oh non, non, non, non ! répète-t-elle,
ce n'est plus possible !
Et elle ajoute d'un ton décidé :
– Fini de vous céder pour avoir la paix !

Elle se lève, et elle roule de gros yeux
de crocodile qui impressionnent tellement
Zouine qu'elle s'arrête de pleurer
et reste bouche bée.

– Non, non, non, ma petite fille,
dit la maman. Non ! Tu n'as ni faim, ni soif,
tu as déjà eu ton biberon ; et si quelqu'un
a vraiment besoin d'un bon bain, c'est moi !
Et la maman de Sami s'en va dans la salle
de bains.

Ça alors ! Sami n'en revient pas !
Qu'est-ce qui s'est passé ? Est-ce que sa
maman a changé ? Est-ce qu'elle sait vraiment
dire non à présent ?
Alors, pour voir, il demande :
– Maman, je peux venir avec toi dans
la baignoire ?
– Non ! répond tranquillement la maman
qui barbotte toute seule dans son grand bain.
– Je vais prendre des bonbons dans le placard…
tente encore Sami.
– Non ! lui hurle-t-elle à travers la porte
de la salle de bains.
Ça alors, plus de doute.
Sa maman sait bien dire non !

Mais soudain, Sami a peur : cette maman
qui dit si bien non, sait-elle encore dire oui ?
Alors, pour voir, Sami demande
d'une toute petite voix :

– Dis Maman, tu m'aimes encore ?
– Oui, mon chéri, répond immédiatement
sa maman.
Bon. Sami est rassuré.
Il a une maman qui dit oui quand il faut
dire oui ; non, quand il faut dire non.
Il a simplement une maman
comme les autres.

Vieux frère de petit balai

Laurence Delaby, illustrations de Michelle Daufresne

Vois le balayeur qui balaie les trottoirs
de la ville tout seul avec son balai.
Les ménagères qui vont au marché,
les enfants qui courent à l'école, les gens
qui prennent l'autobus, passent à côté de lui,
vite, vite sans le regarder.
Comme il n'a personne à qui parler,
il parle à son balai :
– Ah ! mon vieux frère de petit balai, te voilà
aussi seul que moi dans cette grande ville,
à pousser dans le caniveau les papiers qui
tombent, les feuilles des arbres, les plumes
des pigeons, et la neige du ciel. *Aïe, aïe,*
tout ce qui tombe !

Un jour, en se penchant sous une voiture,
le balayeur ramène au bout de son balai,
une moufle... une très jolie moufle en laine
rouge avec deux pompons blancs.
– Bravo, mon vieux frère de petit balai, dit-il,
tu as trouvé une bien jolie petite chose.
L'enfant qui l'a perdue doit être très triste.

Le balayeur porte la moufle chez une
concierge. La concierge hausse les épaules.
– Eh non, je ne sais pas à qui elle appartient.
Si vous croyez que j'ai le temps de chercher
l'étourdi qui l'a perdue ! Avec tout le travail
que j'ai ! Donnez-la à un agent de police.

Le balayeur porte la moufle à l'agent qui règle
la circulation. L'agent hausse les épaules.
– Si vous croyez que j'ai le temps de m'occuper
d'une moufle perdue ! Avec toutes ces voitures !
Portez-la au commissariat.

Mais au commissariat il y a déjà deux cases
toutes remplies de gants perdus.

– *Aïe, aïe*, vieux frère de petit balai, jamais l'enfant ne retrouvera sa moufle là-dedans. J'ai une meilleure idée. Je vais te la mettre comme un bonnet en haut de ton manche, et en balayant par les rues nous rencontrerons peut-être celui qui l'a perdue.

Il enfile la moufle rouge au bout de son balai, il noue serré les deux pompons, et il se remet à balayer.

Voilà qu'à force de balayer, il rencontre un petit garçon.
– Oh, Maman, regarde ma moufle rouge ! Elle est devenue un bonnet pour balai !
– C'est que mon balai est très malin, lui dit le balayeur en lui rendant la moufle. Il trouve tout ce que les enfants perdent.
La maman le remercie.

Le lendemain, le petit garçon attend le balayeur. Dès qu'il le voit, il court… et pose un gros paquet de bonbons juste devant le balai.
– Et aujourd'hui, qu'a trouvé ton balai ? demande le petit garçon.
– Il a trouvé ce qu'il y a de meilleur au monde, répond le balayeur, il a trouvé un ami.

Les malheurs de César

Anne-Marie Chapouton, illustrations de Gérard Franquin

César se sent bien mal. Il téléphone
au docteur Hector et lui dit :
– Nom d'une bonbonne, viens me voir,
je suis en très mauvais état !
Le docteur Hector arrive, il l'ausculte et il dit :
– César, tu as la grippe de Madagascar.
Huit jours de lit, mon petit.
César gémit :
– J'ai déjà usé trente-sept mouchoirs
et j'ai atchoumé cent trente fois !
– Allons, dit Hector, dans une semaine
ce sera fini.

Et c'est vrai. Une semaine après,
César est guéri.
Il se lève et… *splatch*… il se prend le pied
dans les franges du tapis. Il crie :
– Tarabiscote, nom d'un potironnier,
que m'arrive-t-il ?
Hector vient bander sa cheville foulée
et lui dit de rester allongé une semaine.

– Oh ! ça m'agace, oh, que ça m'agace !
dit César.
Et César passe son temps, allongé sur
le canapé, à rouspéter, à lire des bandes
dessinées.

Quand il peut enfin se remettre à marcher, il gémit de fureur parce qu'il avance très lentement.
– Saperdulotte, je ne vais pas plus vite qu'une escargotte !
Et tandis qu'il avance clopin-clopant, il entend derrière lui des grognements bizarres.
Il se retourne lentement… et il voit le chien Tire-bouchon, qui traîne sa chemise du dimanche à travers toute la maison en croquant les boutons.
– Arrête, Tire-bouchon, arrête ou je te tords le cou, espèce de voyou !
Mais la chemise est déjà transformée en chiffon.
Et César a crié, tellement crié qu'il lui vient dans la tête une migraine abominable.
Le voilà couché, avec de la glace sur le crâne.
– Oh, nom d'un petit-beurre, je n'ai que des malheurs !

Le lendemain, ô merveille, César va tout à fait bien. De joie, il avale quatorze beignets sucrés. Et ce qui doit arriver… arrive :
César a trop mangé. César est tout pâle et il se sent mal.
– Ah ! Pastouillis de pastouillas, comme j'ai mal à l'estomac !
Le voilà qui se couche de nouveau en disant :
– Je reste au lit. J'en ai assez. Je suis malade pour la vie. Nom d'un tirlititi, je ne sortirai plus d'ici.
Comme il est malheureux, César !

Le matelas lui fait mal aux fesses, l'oreiller lui fait mal au dos. L'édredon lui pèse sur les orteils. Il a froid, il a chaud. Il a faim de nouveau, il a soif, et surtout… il s'ennuie.

Alors il se lève et il va chercher tout ce qu'il faut pour ne pas s'ennuyer : du jus d'orange, des biscuits légers… le livre des aventures de Ratatouille et la page de jeux de son journal préféré, sans oublier un crayon bien taillé.

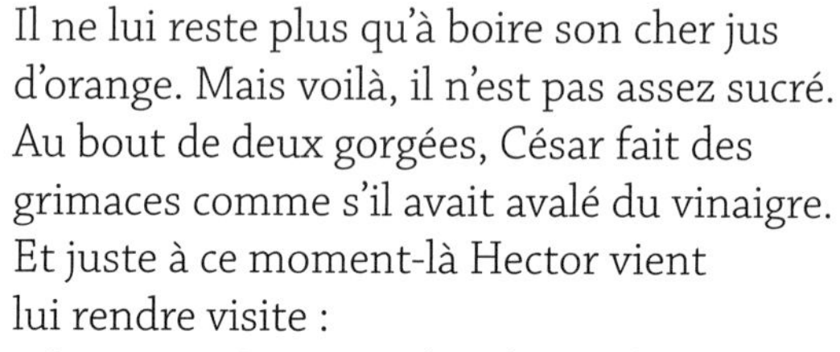

En se mettant au lit, César s'écrie :
– Maintenant, ça va aller mieux. Scrogneugneu !
Hélas… la page la plus intéressante des aventures de Ratatouille n'est plus là : un petit raton mal élevé l'a déchirée et pas moyen de savoir comment Ratatouille sortira de son épouvantable aventure.
Hélas encore… Pas moyen de faire les jeux : *crac !* la mine bien taillée se casse, et César ne peut plus écrire.
Mais le pire, c'est que les biscuits sont parfumés à la noix de coco, le parfum que César déteste le plus.

Il ne lui reste plus qu'à boire son cher jus d'orange. Mais voilà, il n'est pas assez sucré. Au bout de deux gorgées, César fait des grimaces comme s'il avait avalé du vinaigre. Et juste à ce moment-là Hector vient lui rendre visite :
– Lève-toi, César, tu n'es plus malade. Tu es guéri de la tête aux pieds !
Et César, furieux, lui répond d'aller se fritouiller un carotis sur le feu…

Alors Hector va sonner chez Herminette, la plus charmante des rate-ratelettes :
– Herminette, il faut aider César à sortir de son lit !
Herminette sourit et elle dit :
– Je vais l'inviter.

Herminette écrit.
César a reçu la lettre

Cher voisin, cher ami,
Il me serait doux, il me serait charmant
de vous offrir le thé, demain à cinq heures.
Je ferai des biscuits, ceux que vous aimez,
avec de la crème dedans.
Guérissez-vous, je vous attends.
Et je vous frotte les moustaches.
Herminette
Rate-Ratelette

César se lève. César se lave.
César se parfume.
César se pommade la moustache.
César se frise le poil des oreilles.
César enfile son pantalon. Il pose sur sa belle
tête de loir un chapeau à petits pois.
Puis il cueille des pâquerettes et il s'en va
en chantant tirer la sonnette d'Herminette.
Hélas... sur la porte, il y a un petit mot :
« *N'entrez pas... J'ai attrapé les oreillons...* »

Désespéré, César mange les pâquerettes !
Mais la porte s'ouvre, Herminette l'appelle :
– César ! C'était une plaisanterie !
Voyez comme c'est agréable d'être guéri...
Entrez, cher ami... !

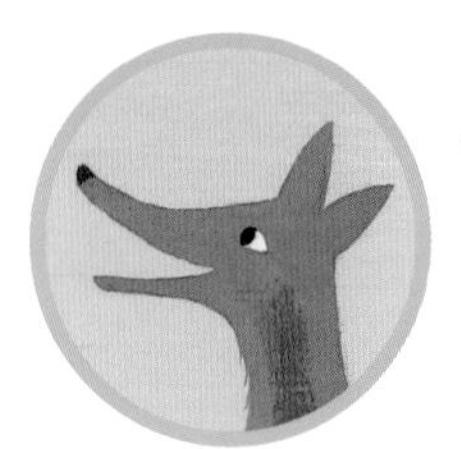

Un petit chacal très malin...

Raconté et illustré par Étienne Morel d'après un conte hindou

Dans un village de l'Inde, un tigre avait dévoré tant de moutons que les villageois décidèrent de s'en débarrasser. Ils le prirent au piège, et l'enfermèrent dans une cage de bambou pour le vendre à une ménagerie.

Un brahmane passait par là.
– Oh ! Frère Brahmane implora le tigre, je meurs de soif, et l'on n'a pas mis d'eau dans ma cage. Ouvre-moi la porte et laisse-moi sortir rien qu'un instant pour aller boire !

– Mais si j'ouvre la porte, Frère Tigre, dit le brahmane, tu es bien capable de me manger !
– Comment peux-tu croire une chose pareille, Frère Brahmane ! s'écria le tigre. Ouvre-moi juste une petite minute pour chercher une goutte d'eau, je t'en supplie !

Le brahmane ouvrit la porte de la cage. Dès que le tigre fut dehors, il fit mine de sauter sur le brahmane pour le dévorer.
– Mais, Frère Tigre, dit le brahmane, et ta promesse ?

– J'ai faim, je mange, rien n'est plus juste.
– Ce n'est pas possible ! Tu ne manqueras pas ainsi à ta parole ! Tout le monde te donnerait tort. Demandons l'avis des cinq premiers êtres vivants que nous rencontrerons, veux-tu ?
– Soit ! dit le tigre, mais dépêchons.

Leur première rencontre fut, sur le bord du chemin, un grand figuier banian.
– Frère Banian, dit le brahmane, est-il juste que le tigre me mange après que je l'ai fait sortir de sa cage ?
Le figuier banian, agitant doucement ses feuilles, répondit d'une voix sourde :
– Dans la journée, quand le soleil est brûlant, les hommes sont heureux de se reposer dans mon ombre, et de se rafraîchir avec mes fruits. Mais quand le soir vient, ils arrachent mes feuilles, et cassent mes branches. Les hommes sont des ingrats. Que le tigre mange le brahmane !
Le tigre se préparait déjà à sauter sur le brahmane :
– Pas encore ! s'écria celui-ci, nous n'avons entendu qu'un avis.

Plus loin, ils trouvèrent un vieux buffle couché dans un marécage. Des nuées de mouches le harcelaient, qu'il n'avait même pas la force de chasser.
– Frère Buffle, dit le brahmane, j'ai délivré ce tigre de sa cage, et maintenant, comme récompense, il veut me manger. Est-ce juste ?

Le buffle leva lentement les paupières, et répondit d'une voix lasse :
– J'ai servi mon maître toute ma vie. J'ai tiré sa charrue, porté ses fardeaux, promené ses enfants sur mon dos. Maintenant que je suis vieux, il refuse de me nourrir. Ce n'est pas moi qui te défendrai : la justice du tigre vaut bien celle des hommes !
Le tigre s'apprêtait à bondir, mais le brahmane dit bien vite :
– Non ! Frère Tigre ce n'est que le second et tu m'en as accordé cinq. Souviens-toi !
Le tigre, en grommelant, consentit à continuer sa route.
Bientôt ils aperçurent un aigle. Et le brahmane, se tournant vers le ciel, cria :
– Oh ! Frère Aigle, toi qui planes dans les cieux, dis-nous s'il te semble juste que ce tigre veuille me manger, après que je l'ai fait sortir de sa cage ?
L'aigle plana un moment au-dessus d'eux. Puis il vint se poser sur un rocher, et parla d'une voix claire :
– Moi qui vis dans les nuages, bien loin des hommes, et ne leur fais aucun mal, je souffre cependant par eux. Ils me lancent des flèches, et viennent jusqu'à mon aire pour tuer mes enfants. Les hommes sont cruels. Que le tigre mange le brahmane !
Cette fois le tigre sauta sur le brahmane, tout prêt à le déchirer.
Le brahmane eut bien du mal à le persuader d'attendre encore.

Dans la vase du fleuve
somnolait un vieux crocodile.
Le brahmane lui adressa la parole
le plus respectueusement qu'il put :
– Frère Crocodile, tu es plein de sagesse
et d'expérience, soit juge entre nous :
j'ai délivré ce tigre d'une cage où il était
enfermé, et, pour toute récompense,
il veut me manger, moi qui suis vieux,
faible et sans arme. Lui donneras-tu raison ?
– Certainement, répondit le crocodile.
Quand j'étais jeune, les hommes me craignaient
et me laissaient en paix. Maintenant que
l'âge m'alourdit, ils m'attaquent de toutes
les façons, et, si je ne fais pas bonne garde
auprès de mes œufs, ils les écrasent à coups
de pierre. Les hommes sont aussi lâches que
cruels. Que le tigre mange le brahmane !
– Encore un, dit le brahmane, le cinquième !

Un petit chacal trottait gaiement sur la route.
– Frère Chacal ! Frère Chacal ! appela
le brahmane d'une voix tremblante,
aie la bonté d'écouter notre histoire,
et après tu nous donneras ton avis.

Le petit chacal s'assit pour mieux entendre,
et le brahmane lui raconta l'affaire.
Mais Frère Chacal n'avait pas l'air
de comprendre :
– Expliquez-vous clairement,
car je me représente mal ce que
je n'ai pas vu moi-même.
– Trouves-tu juste, répéta le brahmane,
que ce tigre veuille me manger, moi qui
l'ai fait sortir de sa cage ?
– De sa cage ? Quelle cage ? demanda
le petit chacal.
– Mais de la cage où il était enfermé.
C'est moi qui...
– Oh ! Oh ! N'allez pas si vite ! Je ne comprends
pas. Voyons. Quelle sorte de cage était-ce ?
– Une grande cage en bambou, là-bas.
Je passais...
– Oh ! là, là ! Je n'y comprends rien !
dit le petit chacal. Vous feriez mieux
de me montrer la chose. Je comprendrais
tout de suite.

Ils retournèrent sur leur pas,
et arrivèrent près de la cage.
– Voyons un peu, dit le petit chacal.
Frère Brahmane, où étais-tu placé ?
– Ici, sur la route, répondit le brahmane.
– Tigre, où étais-tu ?
– Dans la cage, parbleu ! rugit le tigre,
qui commençait à perdre patience.
– Je vous demande bien pardon,
Monseigneur, fit le petit chacal.
J'ai l'intelligence assez lente. Je ne peux pas
me rendre compte comme cela. Si vous
vouliez bien me montrer... comment...
dans quelle position vous étiez ?
– Comme ça ! imbécile ! gronda le tigre
en se glissant dans la cage.
– Oh ! merci, dit le petit chacal.
Je commence à comprendre. Mais...
pourquoi y restiez-vous ?
– Idiot ! hurla le tigre. Ne comprends-tu
pas que la porte était fermée ?
– Ah ! la porte était fermée ?
Je ne vois pas très bien... Fermée ?
Comment était-elle fermée ?

– Comme ça, dit le brahmane,
en poussant la porte.
– Ah ! très bien ! comme ça… Mais…
pourquoi le tigre, ne pouvait-il pas l'ouvrir ?
– Parce que le verrou était fermé,
dit le brahmane, comme ceci.
Et il poussa le verrou.
– Ah ! Ah ! Ah ! Il y a un verrou ? dit le petit
chacal. Vraiment ! Il y a un verrou ! Eh bien !
Frère Brahmane, maintenant que ce verrou
est poussé, je vous conseille de le laisser
comme il est. Quant à vous, Seigneur Tigre,
bon appétit !

Le petit chacal, se tournant vers le brahmane,
fit un profond salut.
– Adieu ! dit-il. Votre chemin va par ici,
le mien par là. Bon voyage !

L'enfant et le dauphin

Raconté par Brigitte Heller-Arfouillère d'après Pline l'Ancien, illustrations de Madeleine Brunelet

On raconte qu'il y a près de deux mille ans de cela, sur les rives de la Méditerranée, vivait un petit garçon très pauvre qui s'appelait Alexandre.
Sa mère était morte alors qu'il n'était qu'un bébé. Il habitait seul avec son père, dans un petit village de pêcheurs.

L'école était très éloignée de son village. Tous les jours, il partait de bonne heure pour faire la longue route à pied.

Comme Alexandre, tous les enfants du village se rendaient chaque jour à cette école. Mais ils n'aimaient pas Alexandre et lorsqu'ils le voyaient, ils couraient après lui en se moquant :
– Va-t'en, tu nous fais honte avec tes habits déchirés !
Le petit garçon s'enfuyait en courant et se retrouvait toujours tout seul.
Alors, il chantait pour oublier sa solitude et sa fatigue, sous le soleil ardent qui brillait une grande partie de l'année.

À l'école, il n'avait pas d'amis et les journées lui paraissaient bien longues.

Le soir, il rentrait après les autres, et jouait sur le sable, solitaire. Son père ne lui posait jamais de question. Il savait bien que les autres enfants l'évitaient parce qu'ils étaient pauvres et cela le rendait triste. Comme le chemin de l'école était long !

Un soir d'avril, alors qu'il marchait au bord de l'eau, Alexandre entendit de petits cris stridents. C'était un dauphin. Pour lui, fils de pêcheur, cela n'avait rien d'extraordinaire.

Mais le garçon était content de parler à quelqu'un :
– Tu veux du pain ? demanda-t-il au magnifique animal. Alors profites-en ! Il ne m'en reste presque jamais le soir.
Mais le dauphin était sans doute trop craintif. Il continua sa course sans se diriger vers l'enfant.
« Tant pis, pensa Alexandre en haussant les épaules. Il n'a sûrement pas faim. »
Et sans plus tarder, il poursuivit sa route.

Le lendemain soir, alors que le garçon
quittait l'école, de gros nuages noirs
obscurcissaient le ciel. Le vent hurlait,
soulevant rageusement le sable.
Une violente tempête se préparait.

Tête baissée, le garçon courut le long
du rivage. Des milliers de petits grains
dorés s'engouffraient dans sa chemise
et le piquaient. Mais il n'y prenait garde :
il était inquiet pour son père.
« Pourvu que Papa ait eu le temps de rentrer
au port, se disait-il. Son bateau n'est pas
de taille à affronter les vagues en furie. »

Soudain, un sifflement strident interrompit
sa course. Le cœur battant, Alexandre
s'immobilisa, scrutant la plage.
« Qui peut bien appeler ? s'étonna le garçon.
Il n'y a personne ici à part moi ! »

À nouveau, le même son retentit.
Alexandre se tourna vers la mer.
Devant lui, un dauphin riait.
– Ah, c'est toi que j'ai aperçu hier !
s'exclama le garçon fou de joie.
Quel bonheur de te revoir !
Tout en parlant, Alexandre fouillait
ses poches.

– Oh, oh ! dit-il, j'espère que tu ne vas pas t'en aller parce que je n'ai rien à te proposer ce soir. Au fait, comment t'appelles-tu ? Bien sûr ! Tu ne peux pas me répondre. Eh bien, pour moi, tu seras Simo !
Le dauphin fixait Alexandre de ses petits yeux espiègles, comme s'il le comprenait. Puis il se mit à nager de long en large face à lui. Le garçon tremblait d'émotion.
– Comme tu es beau ! murmura-t-il.

Mais l'orage grondait. De grosses gouttes commencèrent à tomber. Avec regret, le garçon fit un signe au dauphin :
– Au revoir Simo ! Je dois rentrer. Reviens demain à la même heure. Je t'attendrai !
Et, malgré le fracas du tonnerre, l'enfant entendit l'animal siffler.

Chez lui, Alexandre retrouva son père fatigué, mais sain et sauf.
– Je suis arrivé juste à temps ! confia le pêcheur à son fils.
Dehors, la pluie cinglait les volets et un vent furieux s'engouffrait sous la porte. Bien à l'abri dans leur petite maison blanche, le garçon raconta sa rencontre avec Simo.
– C'est étonnant, lui expliqua son père. Il est très rare qu'un dauphin s'éloigne de sa famille pour vivre seul.
– Simo est peut-être orphelin ? dit alors Alexandre. Dans ce cas, je pourrais le consoler. Moi non plus je n'ai pas de maman...
– Et tout comme toi, il est certainement très courageux, répondit tendrement son père. Allez maintenant, va vite te coucher !

Le lendemain, Alexandre partit pour l'école les poches garnies de pain. La journée lui sembla interminable.
Le soir, comme s'il le faisait exprès, le maître retint les enfants plus tard que d'habitude.

Alexandre se tortillait d'impatience
sur son banc.
« Si je suis en retard, Simo ne m'attendra pas, se disait-il inquiet. Il croira que je l'ai oublié. »
Enfin le garçon jaillit hors de la classe
et courut en direction de la plage.

Soudain, il vit le dauphin bondir joyeusement hors de l'eau et siffler pour le saluer.
Alexandre se mit à la fois à rire et à pleurer.
– J'ai eu si peur ! dit-il à l'animal. Je pensais que je ne te reverrais jamais !
Mais le dauphin était bien là.

Maintenant, il nageait avec calme
et ne quittait pas l'enfant des yeux.
Alors, le garçon s'assit sur le sable. Le regard de son ami l'apaisait. L'obscurité s'installa. Alexandre et Simo se dirent au revoir en sachant que bientôt ils se retrouveraient.

Le lendemain, le jour se levait à peine que déjà Alexandre courait sur la plage. Ce n'était pas l'heure de leur rendez-vous, mais pourtant il appela Simo.
Comme s'il l'attendait, le dauphin le rejoignit en sifflant, puis effectua un saut périlleux. Ravi, le garçon sautilla et tapa dans ses mains.
– Oh, Simo, je n'espérais pas te voir si tôt. Tu ne vis pas loin alors ? Tu sais, aujourd'hui, il n'y a pas d'école !
Tout en parlant, Alexandre éparpillait ses vêtements sur le sable.
– J'ai décidé de me baigner, Simo. Attends-moi !

Dans l'eau encore fraîche, Alexandre nagea jusqu'au dauphin. Les deux amis s'ébrouèrent un long moment, puis, avec délicatesse, Simo montra à l'enfant comment le chevaucher. Sans se lasser, il reprit plusieurs fois la même posture. Alexandre comprenait le désir de son ami, mais la crainte le retenait.
Il avait peur de blesser le bel animal, d'être maladroit, trop lourd...
Lui qui était pourtant si menu, si frêle !
Le soleil était au zénith lorsque, enfin, Alexandre découvrit avec délice le plaisir d'enserrer le corps souple et doux de Simo. Il se laissa bercer, comme un enfant contre sa mère. Jamais il n'avait été si heureux. Puis le dauphin l'emporta et tous deux fendirent les flots.

Désormais, la pensée de Simo emplissait le cœur d'Alexandre. Le matin, il se levait avec plaisir et courait dans les dunes.

Près du rivage, le dauphin attendait le garçon
et l'emportait jusqu'à l'école.
Le soir, Alexandre et Simo se retrouvaient
et parcouraient le chemin inverse
de la même façon.

Bientôt les gens se pressèrent pour voir
le fils du pêcheur prendre la mer sur le dos
d'un dauphin. Les enfants de l'école venaient
aussi, ils entouraient Alexandre et chacun
se disait son ami.
Quelques-uns se mettaient à l'eau
pour approcher Simo.

L'animal acceptait de se laisser caresser,
mais seul Alexandre avait le droit
de le chevaucher.

Souvent, au coucher du soleil, le père
d'Alexandre les rejoignait sur la plage.
Simo l'accueillait toujours avec enthousiasme.
Il ne se lassait jamais de faire l'acrobate.
Assis sur le sable, le pêcheur, ému, regardait
son fils et le dauphin. L'amitié exceptionnelle
qui les liait le bouleversait, le rendait heureux.
De son bras levé, il faisait de grands signes,
et il leur souriait.

Le temps passa. Alexandre et Simo
ne se quittaient plus. Grâce au dauphin,
le garçon oublia tout de sa solitude.

Sa vie devint un enchantement,
un éclat de rire qui n'en finit pas.

Les 4 saisons de Tilouloup

René Gouichoux, illustrations de Vanessa Gautier

– Aujourd'hui, c'est l'été, dit Maman Loup.
– J'aime pas l'été, marmonne Tilouloup.
Il fait trop chaud.
– Quelle saison préfères-tu ?
demande Maman Loup.
– Aucune, répond Tilouloup. Je n'aime pas l'automne, les feuilles tombent, et il y a trop de vent. Je n'aime pas l'hiver, non plus, il fait trop froid.

– Et le printemps ? interroge Maman Loup.
– Le printemps, c'est nul ! grogne Tilouloup.
Les oiseaux n'arrêtent pas de piailler, c'est agaçant. En plus, il pleut souvent.
– Allez, arrête de bouder, et viens avec moi, dit Maman Loup.
– Il fait trop chaud ! réplique Tilouloup.
– Viens avec moi, répète doucement Maman Loup, j'ai une surprise pour toi.
Et tous les deux s'en vont vers la rivière.

Hop ! 1, 2, 3 !
Maman Loup et Tilouloup plongent...
– Mmmm, elle est bonne !
s'exclame Tilouloup.
– Nage, nage, nage, mon Tilouloup, dit Maman Loup.

Après le bain, Tilouloup et sa maman se sèchent au soleil.
– Demain, nous irons à la plage, décide Tilouloup. Nous ferons des colliers de coquillages.
– Je croyais que tu n'aimais pas l'été !
s'étonne Maman Loup.
– Je te faisais une farce, dit Tilouloup, en câlinant sa maman.

Tilouloup et sa maman rentrent de la rivière, ils traversent un bois de châtaigniers. Tilouloup a tout à coup très faim de châtaignes. Mais elles ne sont pas encore tombées.
– Il faut attendre l'automne, explique Maman Loup.
Alors, Tilouloup attend patiemment.

Un matin, l'automne est là. Tilouloup ramasse des feuilles rouges et brunes, et il les range soigneusement. Il cherche des champignons, et décortique des châtaignes.
– Mmmm, comme c'est bon ! dit Tilouloup en se régalant.

Et puis un jour, l'hiver arrive sans qu'on l'attende : tout est blanc au réveil.
– Un bonhomme ! crie Tilouloup. Je veux faire un bonhomme de neige.
– Avec une carotte pour le nez ? demande Papa Loup.
– Oui, répond Tilouloup en enfilant ses bottes. Et des pommes de pin pour les yeux.

Dans le jardin, Papa et Tilouloup terminent le bonhomme de neige. De la maison, Maman Loup les appelle :
– Vite au chaud, dit-elle. Venez m'aider à décorer le sapin de Noël.

Tout doucement, l'hiver s'en va.
La neige fond et le printemps s'installe dans la campagne.
Jonquilles, violettes, primevères dansent dans les prés. Pour sa maman, Tilouloup cueille un joli bouquet.

Et son papa lui propose :
– Une partie de ballon, sur le gazon tout frais ?
Déjà Tilouloup est dans les buts.
– C'est moi le gardien, dit-il en dégageant le ballon.

Quand la partie est finie, Tilouloup rejoint sa maman qui sème des graines de petits pois.
– Dis-moi, mon Tilouloup, demande sa maman, quelle est ta saison préférée ?
– Mmmm, je les aime toutes, répond Tilouloup sans hésiter.
Et il se jette dans les bras de sa maman chérie.

Jules et l'île bleue

Amélie Sarn, illustrations de Laurent Richard

Dans sa petite chambre, Jules joue.
Il joue avec son bateau, le bateau
que Papa et Maman lui ont offert,
un joli bateau rouge et vert.
Le bateau file comme le vent sur la couette
bleue de Jules. Sur la couette bleue de Jules,
nagent toutes sortes de poissons,
des petits et des grands.
Mais Jules-le-marin est fatigué,
il pose sa tête sur l'oreiller. Il regarde
les étoiles scintillantes. Celles que Maman
a collées sur le plafond de sa chambre.
Par la petite fenêtre ronde à côté de son lit,
Jules-le-marin ne voit que la nuit. Ses yeux
se ferment, les vagues le bercent doucement.

Jules-le-marin est parti.
C'est le tour du monde qu'il va faire
sur son joli bateau rouge et vert.
Il n'a pas peur des vagues, ni de la tempête.
Il n'a pas peur du vent, ni des ouragans.
Jules-le-marin n'a peur de rien.
Il se dirige grâce aux étoiles qui lui font
des clins d'œil dans la nuit.

Jules-le-marin est debout sur le pont.
Avec sa longue-vue, il observe l'horizon.
Mais là-bas, que voit-il dans le lointain ?
C'est une île ronde et bleue qui apparaît
dans la mer.
« Je vais aller la visiter, » décide Jules-le-marin.
Mais soudain…
L'île se met à bouger, elle commence
à remuer, on pourrait dire à s'agiter.
« Je croyais que les îles restaient immobiles »,
se dit Jules en se grattant la tête.

Jules veut en avoir le cœur net.
Il installe, sur le mât de son bateau, la plus grande de ses voiles. Elle est aussi belle qu'un arc-en-ciel.
Le vent pousse le bateau. Jules continue de surveiller cette drôle d'île avec sa longue-vue.
Mais, quand il s'approche, l'île s'éloigne.
– Cette île est une coquine, s'exclame Jules-le-marin, mon bateau va la rattraper.

L'île s'est immobilisée. Jules va enfin pouvoir aborder. Mais soudain...
L'île tourne et saute autour de Jules-le-marin.
Les vagues sont de plus en plus grosses, son bateau se met à tanguer.
Courageusement, le petit bateau monte tout en haut des plus hautes vagues mais, à chaque fois, la mer l'entraîne de nouveau en bas.

Jules met un chapeau et un manteau jaunes, pour ne pas être mouillé par l'eau salée qui tombe dans son petit bateau.
Jules ressemble à un soleil au milieu de la mer déchaînée
– C'est à cause de cette île qui bouge que la mer est en colère ! s'écrie Jules, en s'accrochant au rebord de son bateau.
Jules réfléchit, il cherche une idée.
Une idée pour calmer cette île ronde et bleue qui semble bien s'amuser.
Ça y est, il a trouvé.
– *Ohé, ohé matelot*, chante Jules à tue-tête, *matelot navigue sur les flots...*

Mais l'île aime tellement la chanson qu'elle se met maintenant à danser. Si elle continue, le bateau va chavirer.
Jules se rappelle une berceuse qu'une sirène un jour lui a chantée. Une berceuse très très douce qui donne envie de fermer les yeux.
– *Bateau sur l'eau, la rivière, la rivière, bateau sur l'eau...* murmure Jules d'une voix caressante comme un rayon de soleil à la tombée du jour.

L'île ne bondit plus, elle suit le bateau en faisant le gros dos.
– Mais cette île a une queue ! s'étonne Jules en regardant mieux.
L'île n'est pas une île, elle tourne vers Jules ses beaux yeux bleus. Un jet d'eau jaillit au-dessus de sa tête...
– Bonjour Madame la Baleine !
Jules est heureux, il a trouvé une amie pour voyager avec lui tout autour du monde.
Ensemble, Jules et la baleine n'auront peur de rien. Ni des vagues, ni de la tempête, ni du vent, ni des ouragans.
Ensemble, ils pourront chanter « *Il était un petit navire, il était un petit navire...* »

– Jules, Jules...
Jules s'arrête de chanter, quelqu'un vient de l'appeler. La baleine ? Non, les baleines ne peuvent pas parler...
Jules regarde autour de lui. Une sirène !
C'est une sirène qui lui parle et qui lui sourit.
– Jules, mon chéri...
Jules-le-marin ouvre les yeux. La sirène ressemble à Maman. La sirène, c'est Maman.

Jules s'assoit sur son lit. Son bateau rouge et vert dort sur sa couette bleue, au milieu des poissons, des grands et des petits. Au plafond, les étoiles ne scintillent plus. Par la fenêtre ronde, à côté de son lit, un rayon de soleil vient lui chatouiller les yeux.
– Viens, Jules, dit maman, viens voir dehors, comme c'est joli.

Jules se lève et suit sa maman.
Il monte les petites marches de bois.
Dehors, sur le pont, Papa est là.
Le vent souffle doucement.
Tout autour d'eux, il y a la mer.

Bientôt Papa, Maman et Jules auront fini leur voyage et reviendront sur la terre.
– Regarde, Jules, dit Papa, là-bas, il y a des baleines !

Le petit roi d'Oméga

Marie-Hélène Delval, illustrations de François Daniel

Le petit roi de la planète Oméga règne sur un peuple d'oiseaux-cerise qui habite à l'abri du Grand Arbre. Sur la planète Oméga, il n'y a pas de froid, pas de vent, pas de pluie, pas de nuit et le roi est heureux.

Mais un jour les oiseaux-cerise se rassemblent et ils pépient tous ensemble :
– Petit roi, nous en avons assez de ta planète Oméga ! Tout est toujours pareil ici. Hier, des oiseaux d'ailleurs sont passés et ils nous ont crié qu'ils ont vu des planètes où il y a du jour et de la nuit, du beau temps et de la pluie, et même, parfois, quelque chose de blanc qui tombe sans faire de bruit. Ils disaient que c'est tellement joli ! Pourquoi n'avons-nous pas tout ça ici, petit roi de la planète Oméga ?

Le petit roi est bien ennuyé. Il n'a jamais entendu parler de choses comme ça.
Alors il dit :
– Vous, mes oiseaux-cerise, vous qui pouvez voler, envolez-vous ! Peut-être trouverez-vous ces planètes, peut-être pourrez-vous rapporter ici du vent et de la nuit, du beau temps et de la pluie, toutes ces choses tellement jolies ?
Les oiseaux-cerise disent oui et ils s'envolent aussitôt.

En un instant, le Grand Arbre est vide : des oiseaux-cerise, il ne reste plus que quelques plumes qui tombent doucement sur le sol en tournoyant.

Le petit roi de la planète Oméga a un peu envie de pleurer. Mais pleurer ne fera pas revenir plus tôt les oiseaux-cerise !
Il ne faut pas pleurer, il faut attendre.

Et c'est ce qu'il fait, le petit roi.
Il attend, il attend longtemps.
Les oiseaux-cerise ne reviennent pas.

Quand il a attendu si longtemps que cela fait vraiment trop longtemps, le petit roi se dit : « À mon tour de partir ! Je veux savoir pourquoi mes oiseaux-cerise ne reviennent pas. Peut-être se sont-ils perdus ? Peut-être sont-ils en danger ? Peut-être ont-ils trouvé une planète où ils sont plus heureux que sur

ma planète Oméga ? »
À cette idée, le petit roi a bien encore un peu envie de pleurer. Mais il s'essuie les yeux, il prend les commandes de son navire-fusée et il quitte à son tour la planète Oméga.

Le petit roi file dans l'espace et il se pose d'abord sur la planète de pluie. La planète de pluie est bleue, sans cesse il y pleut et les vagues de la mer bleue viennent battre les rochers bleus.
Au milieu de tout ce bleu, le petit roi aperçoit quelque chose de rouge.
Est-ce un oiseau-cerise ?
Non, c'est un poisson, un petit poisson rouge qui plonge et disparaît.
Mais sur un rocher bleu, le petit roi découvre aussi une plume rouge.
Les oiseaux-cerise sont passés par ici !
Le petit roi repart en emportant un peu du bleu de la planète de pluie.

Le petit roi se pose ensuite sur la planète de vent. La planète de vent est verte, sans cesse le vent y court en caressant les herbes vertes.
Au milieu de tout ce vert, le petit roi aperçoit quelque chose de rouge.
Est-ce un oiseau-cerise ?
Non, c'est un coquelicot, un coquelicot frais éclos, qui se balance sur sa tige au gré du vent.
Mais entre deux touffes d'herbe verte, le roi découvre une plume rouge.
Les oiseaux-cerise sont passés par ici !
Le petit roi repart en emportant un peu

du vert de la planète de vent.
La troisième planète où le petit roi se pose, c'est la planète de sable. La planète de sable est dorée, si dorée qu'elle éblouit les yeux.
Au milieu de tout ce doré, le petit roi aperçoit quelque chose de rouge.
Est-ce un oiseau-cerise ?
Non c'est une paire de chaussures.
Quelqu'un l'a laissée là, sans doute, pour courir pieds nus sur le sable.
Mais dans un trou, le petit roi découvre aussi une plume rouge.
Les oiseaux-cerise sont passées par ici !

Le petit roi repart en emportant un peu du jaune de la planète de sable.
Mais voilà que soudain, le navire-fusée pénètre dans la nuit, et le petit roi aperçoit une planète rouge et noire entourée d'une épaisse fumée. Dans la fumée flottent aussi quelques plumes rouge-cerise, mais toutes ternies, toutes noircies.

Le petit roi pose son navire-fusée au sommet d'une grande pierre noire.
Il sort, et la fumée le fait tousser.
Autour de lui, c'est la nuit, une méchante nuit qui fait peur. D'ailleurs il a peur, le petit roi, car toute la planète a l'air de gronder comme une bête en colère.
Mais sous ses pieds il voit encore quelques plumes tout abîmées et ça lui donne du courage.

Alors, devant le petit roi, se dresse une grande ombre noire avec deux yeux de feu et un bec d'oiseau de proie. Une voix gronde :
– Que fais-tu là, petit roi de la planète Oméga ?
Le petit roi a peur. Pourtant il ne recule pas.
Il crie :
– Je viens chercher mes oiseaux-cerise.
Rends-les-moi !

L'ombre éclate d'un rire qui roule comme l'orage dans la montagne :
– Ah ah ah ! Je suis le souverain de la planète Volcan, et le rouge de tes oiseaux-cerise me plaît beaucoup ! Le rouge va si bien avec le noir, tu ne trouves pas ? Maintenant, les oiseaux-cerise sont à moi. Va-t'en, retourne chez toi, sinon je t'enferme avec eux et tu ne reverras jamais ta planète Oméga !

Le petit roi a peur, il recule d'un pas.
Alors il aperçoit, derrière la grande ombre noire, quelque chose de rouge qui bouge et il entend à travers le grondement de la planète Volcan un million de petits cris et pépiements.
Les oiseaux-cerise sont là, prisonniers d'un grand filet !

Le petit roi ne réfléchit même pas.
Une énorme colère le prend, il saute dans son navire-fusée et il le lance en avant.
La fusée renverse la grande ombre noire qui dégringole au fond du volcan.
Puis le petit roi redresse la fusée afin qu'elle frôle le filet juste assez pour le déchirer sans blesser les oiseaux-cerise.
Ils s'échappent tous ensemble comme un grand nuage rouge.
Mais la fusée a pris trop d'élan.
Elle tourne sur elle-même, elle vibre, elle va s'écraser au fond du volcan !
Alors les oiseaux-cerise s'élancent, ils enveloppent la fusée dans un million de battements d'ailes, et ils l'emportent loin de la planète Volcan.

Quand le petit roi et ses oiseaux-cerise arrivent sur la planète Oméga, elle est toute blanche, le grand arbre est tout blanc.
Pour la première fois, la neige est tombée sur la planète Oméga !
En descendant de son navire-fusée, le petit roi secoue autour de lui, du bleu, du vert et du doré, et un peu de noir aussi, du vent, de la pluie, de la nuit.

Et depuis ce temps-là, sur la planète Oméga, il y a des hivers tout blancs, des printemps bleus, des étés verts et des automnes dorés, Il y a du jour et de la nuit, du beau temps et de la pluie, du froid du soleil et du vent.

C'est si beau que les oiseaux d'ailleurs s'arrêtent souvent pour y passer la nuit.
Les oiseaux-cerise les accueillent sur les branches du Grand Arbre.
Et nulle part il n'y a pas de roi plus heureux que le petit roi de la planète Oméga.

La sieste de Moussa

Zemanel, illustrations de Madeleine Brunelet

Couché dans son lit, Moussa est bien fatigué, ses yeux sont presque fermés.

Soudain il entend un bruit qui vient le déranger : ça grignote et ça crie, c'est une souris.
Moussa se lève et lui demande gentiment :
– Veux-tu bien partir pour que je puisse dormir ?

Mais la souris refuse et continue de crier et de grignoter. Avec un bruit comme ça, Moussa ne s'endort pas.

Il appelle alors son chat qui accourt à petits pas.
La souris disparaît aussitôt qu'elle le voit.

Moussa retourne dans son lit. Mais il entend toujours du bruit : ça ronronne et ça griffe, c'est le chat qui s'étire sur son matelas.

Moussa se lève et lui demande gentiment :
– Veux-tu bien t'en aller pour que je puisse me reposer ?

Mais le chat refuse et continue de griffer et de ronronner. Avec un bruit comme ça, Moussa ne s'endort pas.

Il siffle alors son chien qui se poste à l'entrée.
Le chat s'enfuit par la fenêtre sans chercher à discuter.

Moussa retourne dans son lit.
Mais il entend toujours du bruit :
ça jappe et ça aboie, c'est le chien qui mordille ses jouets en bois.

Moussa se lève et lui demande gentiment :
– Veux-tu bien aller te promener pour que je puisse sommeiller ?

Mais le chien refuse et continue de japper et d'aboyer. Avec un bruit comme ça, Moussa ne s'endort pas.

Il demande alors l'aide du lion qui arrive en trois bonds. Le chien décampe sans poser de question.

Moussa retourne dans son lit.
Mais il entend toujours du bruit :
ça remue et ça rugit, c'est le lion qui tourne en rond.

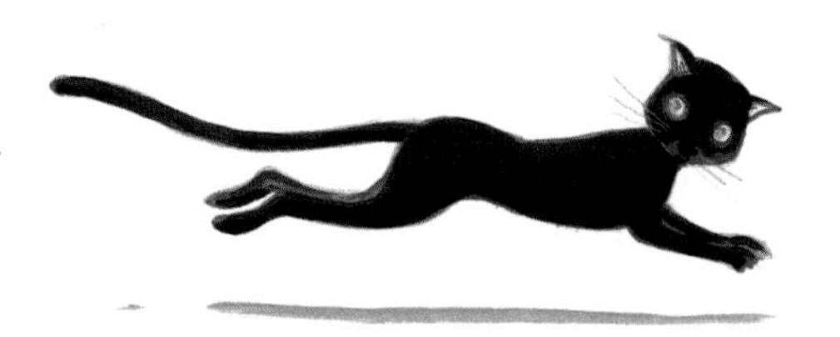

Moussa lui demande gentiment :
– Veux-tu bien aller chasser pour
que je puisse me relaxer ?

Mais le lion refuse et continue de rugir
et de tourner en rond. Avec un bruit
comme ça, Moussa ne s'endort pas

Il fait alors appel à l'éléphant qui s'approche
à pas lents. Le lion n'insiste pas
et file comme le vent.

Moussa retourne dans son lit.
Mais un éléphant, même très sage,
cela fait beaucoup de bruit : ça souffle
et ça barrit, ça écrase tout sur son passage.

Moussa lui demande gentiment :
– Veux-tu bien te pousser pour
que je puisse respirer ?

Mais l'éléphant refuse et continue de barrir
et de souffler. Avec un bruit comme ça,
Moussa ne s'endort pas.

Il ne sait plus quoi faire. Alors il réfléchit
et décide de rappeler la petite souris.
L'éléphant se carapate sans tarder car chacun
sait que la terreur des éléphants,
c'est la souris évidemment !

Moussa peut enfin commencer à rêver.
Il y a toujours des petits bruits de souris
mais, comparés à des bruits d'éléphant,
ils sont beaucoup moins gênants !

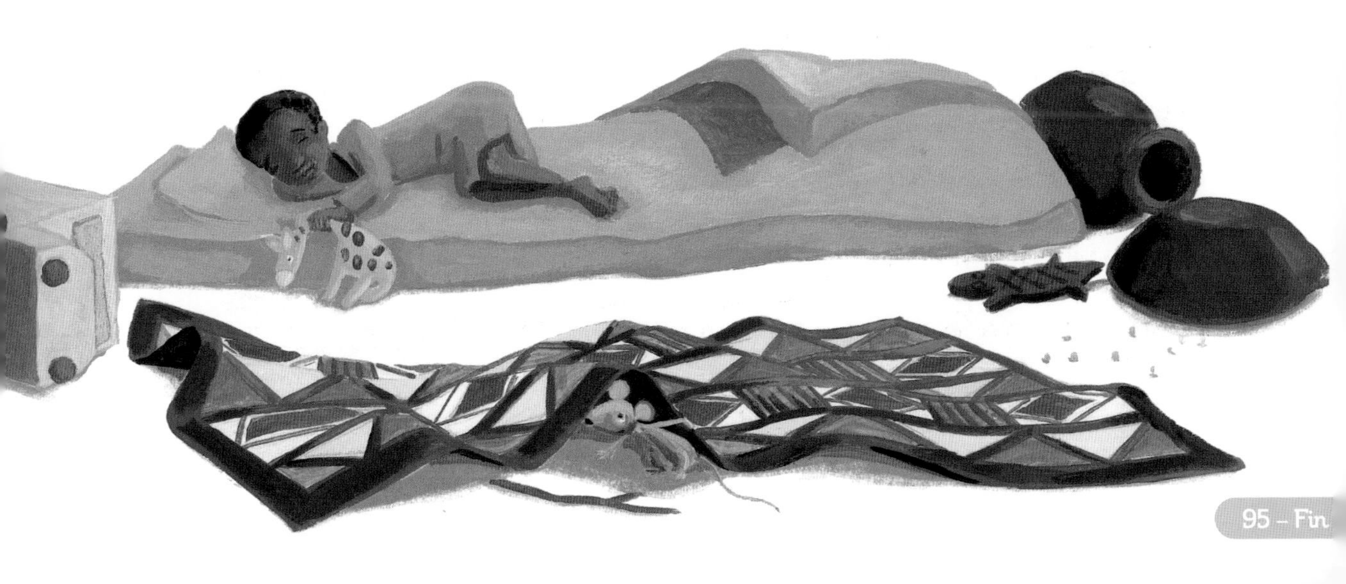

Qui est le plus rusé ?

Agnès Cathala, illustrations de Philippe Diemunsch

Tous les soirs, avant de se coucher, Sam s'allonge sous le palétuvier géant. Il reste là un bout de temps à rêver au jour où il sera grand, assez grand pour braver le vieux lion, celui qui fait si peur à ses parents. Car son papa et sa maman n'arrêtent pas de lui dire tous les soirs, sur tous les tons :

– Sam, fais bien attention, reste près du palétuvier. Au-delà, c'est le domaine du vieux lion, et il n'aime pas être dérangé. D'un coup de dents, il peut dévorer un homme tout entier.

Pourtant, un soir, Sam se dit :
« Bientôt, je vais avoir cinq ans. Si ce vieux lion existe vraiment, il est temps qu'il sache qui je suis. Et on verra bien qui de nous deux est le plus malin... »

Alors, Sam dépasse le palétuvier, et s'enfonce dans la savane dorée.
Soudain, un énorme rugissement retentit.
Le lion est là, à trois mètres de lui.
– Bonjour, dit Sam au lion. Je sais que tu vas me manger. Mais avant, je voudrais que tu écoutes une histoire. Aimes-tu le pilpil ?
– Bien sûr que non ! rugit le lion.
– Dommage ! dit Sam. Parce que j'en ai plein mon estomac. Et si tu choisis de me manger ce soir, tu vas trouver que j'ai un goût de pilpil !
– Qu'à cela ne tienne, rugit le lion.
Je te mangerai une autre fois.

Et le lion s'en va.

Le lendemain soir, Sam ne peut pas s'empêcher de revenir au même endroit.
Le lion est déjà là.
– Tu vois, dit Sam. Tu es le plus fort, mais tu n'es pas le plus rusé. Sinon tu m'aurais mangé la première fois.
– Ah oui ? rugit le lion. Toi non plus, tu n'es pas le plus rusé. Sinon tu ne serais pas revenu... et je vais te croquer tout cru !

– Attends ! dit Sam. Avant de me manger, il y a une chose que tu dois savoir. Tu vois ces boutons sur mes bras ? C'est la varicelle, une maladie très dangereuse pour les lions. Si tu me manges, tu vas l'attraper. Et comme aucun docteur ne voudra soigner un lion aussi féroce que toi, tu ne guériras jamais. D'ailleurs, en restant ici, tu risques de l'attraper.

Pris de panique, le vieux lion déguerpit.

Bien sûr, le lendemain, Sam ne peut pas s'empêcher de revenir au même endroit. Et, bien sûr, le lion est déjà là.
– Tu vois, dit Sam. Tu es le plus fort, mais tu n'es pas le plus rusé. Sinon tu aurais reconnu des boutons de moustique. Hier soir, tu as encore raté une belle occasion de me manger !
– C'est ce que tu crois ! rugit le lion en se léchant les babines. Je ne vais pas te laisser filer cette fois...
– Mais, tu ne dis rien, toi qui d'habitude es si bavard ? continue le lion. Tu as enfin compris que c'est moi le plus fort et le plus rusé !
– Non, dit Sam. Le plus fort et le plus rusé, ce n'est ni toi ni moi.

– Ah bon ? rugit le lion. Mais qui est-ce donc ?
– C'est l'éléphant derrière toi qui va nous écrabouiller.
– Un éléphant ? Où ça ? demande le lion affolé.

Sans perdre une minute, Sam en profite pour prendre la poudre d'escampette. Et, quand le lion se tourne à nouveau, il ne voit plus personne ! Sam a filé au grand galop.

Quand Sam rentre chez lui tout essoufflé, il voit un gros gâteau d'anniversaire sur la table.

– Sam, te voilà grand, lui dit sa maman. Il est temps que tu saches. Cette histoire de lion, c'était juste une ruse inventée par Papa, pour que tu n'ailles pas trop loin de la maison. Bon anniversaire mon garçon !

« C'est fou ce que les parents sont parfois capables d'inventer ! » se dit Sam cette nuit-là avant de s'endormir... en serrant son vieux doudou-lion contre lui.

L'enfant de la banquise

Raconté par Robert Giraud d'après un conte du Grand Nord sibérien, illustrations d'Anne Buguet

Dans le Grand Nord, au pays du froid, vivaient un homme, sa femme et leur fils. Le père était un chasseur expérimenté, qui connaissait bien son métier. Son fils avait le regard perçant et la main sûre, mais il manquait de jugement et, surtout, de patience. Il ne supportait pas de rester des heures, parfois une journée entière, à guetter une proie.

Un jour, le père et le fils montèrent dans leurs kayaks, et partirent en direction d'une île située face à la côte. Comme ils approchaient, le père aperçut un beau phoque, et décida de le prendre en chasse. Mais son fils lui dit :
– Non, père, ce n'est pas la peine. J'en aperçois un autre beaucoup plus gros, là-bas au loin, sur la gauche.

– Mais, répondit le père, ce n'est pas un phoque, c'est une orque, elle est bien trop grosse pour nous.

Le fils s'obstina :
– Jamais de la vie ! Je vois bien que c'est un phoque, un phoque énorme. Avec sa viande, nous pourrons manger à notre faim pendant de longues semaines.

Et il s'éloigna vers la silhouette qu'il avait repérée. Son père le suivit longtemps des yeux, puis il vit son kayak disparaître derrière l'île.

Le père reprit sa chasse. Il tua un phoque, ramena son corps au rivage, et se mit à attendre le retour de son fils.

Plusieurs heures passèrent.
Inquiet, il remonta dans son kayak, et doubla l'île.
Mais il eut beau scruter l'horizon, la mer s'étendait devant lui immense et vide, sans la moindre embarcation en vue.

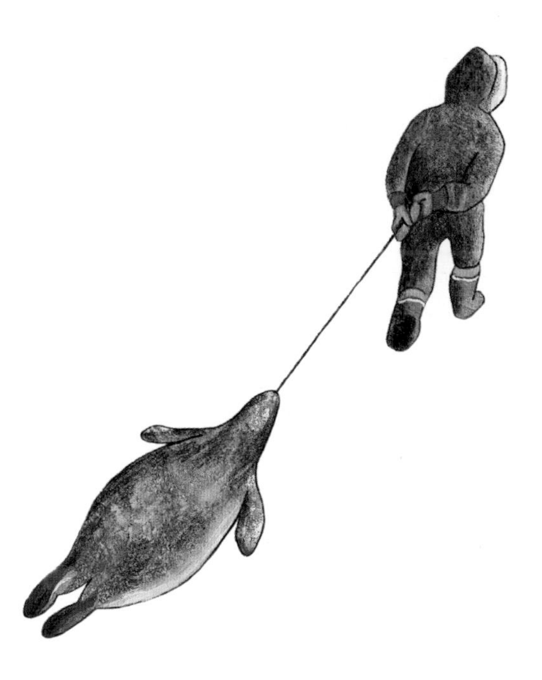

Le cœur serré, le père rentra à sa hutte, et raconta à sa femme ce qui s'était passé. Celle-ci pleura beaucoup, et lui reprocha d'avoir laissé partir leur fils seul.
Le chasseur essaya de la rassurer. Il lui dit :
– Il faut attendre encore. La mer est si vaste. Notre fils a été entraîné au loin par sa proie, mais il finira par revenir.

Le lendemain, le père descendit vers le rivage. Mais, ne voyant pas venir de kayak, il se mit à pleurer. Les larmes inondaient ses joues, mouillaient sa tunique de fourrure. Soudain il entendit une voix :
– Alors, tu crois que la mer n'est pas assez salée ? Tu y ajoutes encore le sel de tes larmes ?
Le chasseur, intrigué, releva la tête. Le soleil, juste en face de lui, l'aveuglait, mais il parvint néanmoins à distinguer un rocher planté comme une dent au milieu des flots, et, sur le rocher, un drôle de vieillard.
Sa barbe était verte et longue comme des algues. Il était vêtu d'une dépouille de poisson, et regardait le chasseur de phoques avec un sourire moqueur.

Le chasseur, malgré sa peur,
se risqua à répondre :
– Je pleure parce que j'avais un fils, beau
et fort, le meilleur chasseur de toute la côte.
Et il a disparu.
– Le meilleur chasseur de la côte, tu dis ?
Et le vieillard éclata de rire.
Le chasseur lui en voulut d'abord
de se moquer d'un disparu. Mais il réalisa
bien vite que le vieillard, avec sa peau
de poisson et sa barbe verte, n'était pas
un être ordinaire. Il devait sûrement s'agir
de Témou, le Maître de la mer.
Le chasseur préféra donc garder le silence.
Témou reprit :
– Il y a bien longtemps que je n'avais ri
d'aussi bon cœur. Pour te remercier,
je te rendrai ton fils. Mais tu dois d'abord
bâtir sur le rivage une hutte en os de baleine,
et attendre. La nouvelle lune te ramènera
ton fils.

Soudain, la brume tomba sur la mer,
et dissimula aux yeux du chasseur le rocher
et le vieillard.

Le chasseur courut retrouver sa femme, et lui
raconta sa conversation avec le vieil homme.
– Faisons comme il nous a dit, lui proposa-t-il.
Ramassons des os de baleine, et bâtissons
une hutte sur le rivage.
Ils se hâtèrent, car la lune était sur le point
de recommencer à briller.

Leur travail terminé, ils s'installèrent
à l'intérieur, et s'endormirent.

Un fin croissant lumineux apparut
dans le ciel.

Au petit matin, l'homme bondit hors
de la hutte, et courut au rivage. Il y découvrit
un berceau d'algues tressées dans lequel
piaillait un bébé. Sa femme sortit à son tour
et son mari lui dit :
– Tu vois, Témou nous a trompés. Il nous
envoie un nouveau-né au lieu de notre fils.
Mais la femme serra le bébé dans ses bras
en disant à son mari :
– Tu es aveugle, on dirait. Tu ne vois pas
son visage ? Tu es sourd aussi, sans doute !
Tu ne reconnais pas sa voix ? C'est bien
notre fils, tel qu'il était il y a vingt ans !

La mère emporta l'enfant dans la hutte,
et lui chanta une berceuse.
Le chasseur demeura sur le rivage, ne sachant
s'il devait se réjouir ou se désoler.
Soudain il leva les yeux, et aperçut le vieillard
sur son rocher solitaire.
Témou riait dans sa barbe.

– J'ai tenu parole, dit le Maître de la mer, je t'ai rendu ton fils.
– Ce n'est pas vrai ! Mon fils était grand, et tu m'as donné un bébé.
– Ton fils était grand de corps, mais sa tête était celle d'un petit enfant. Il a pris une orque pour un phoque. Et c'était justement l'orque dont la gueule me servait de logis. J'ai crié à ton fils de s'en aller, mais il a levé son trident pour frapper, et j'ai dû le maîtriser.
Maintenant qu'il est redevenu bébé, tu auras tout le temps de lui apprendre la patience, et d'en faire un chasseur astucieux et discipliné.
Une grosse vague coiffa le rocher.
Quand elle se retira, Témou avait disparu.

Le père reprit le chemin de sa hutte, s'occupa de l'éducation de son fils, et en fit vraiment, cette fois-ci, le meilleur chasseur de toute la côte.

Le seul roi, c'est moi !

René Gouichoux, illustrations de Laurent Richard

Tous les matins, dès son réveil, Roi traverse la galerie des ancêtres. Il salue les anciens, et vérifie dans le miroir que sa couronne est bien en place. Et il proclame, devant la glace :
– Qui est le roi ? C'est moi. Et pourquoi ? Parce que c'est comme ça !

Allez, *hop !* Direction la cuisine.

Sa mère l'accueille comme il se doit :
– Mon petit roi ! dit-elle, en lui tendant les bras.
– C'est bien vrai, Maman, que je suis le roi ?
– Mais bien sûr, mon petit roi à moi.
– Tu es d'accord, Papa ?
– Ah ça, dit son père, plus roi que toi, je ne vois pas...

Maintenant, pour Roi, la journée
peut vraiment commencer.

Il déjeune,

danse,

puis nage,

chasse,

pêche,

dîne.

Le soir, avant de se coucher, Roi reste
longtemps à contempler sa couronne.
Il l'astique, il la bichonne, et même…
il l'embrasse.

Et puis un jour, la mère de Roi s'en va
à la clinique. C'est normal, elle attend
un bébé. Le père de Roi l'accompagne.
Et la tata de Roi vient pour garder son neveu.

Pour lui, rien ne change.

Il déjeune,

puis nage,

chasse,

pêche,

danse,

dîne.

Toute la journée, Roi s'assure que sa couronne est bien en place, sur sa tête. Et il répète, devant la glace :
– Qui est le roi ? C'est moi. Et pourquoi ? Parce que c'est comme ça !

Et puis, quelques jours plus tard, *drinn... drinn*, la porte d'entrée s'ouvre, et la maman de Roi apparaît avec son nouveau bébé dans les bras. C'est encore normal, puisqu'il, euh... "elle" est née.

Maman se penche vers Roi.
– Regarde, mon chéri, voici ta petite sœur.
– Tu parles d'un p'tit moustique !
– Tu veux bien lui donner un bisou ? demande sa mère.
– Oui, d'accord, répond Roi.
Roi donne un bisou du bout des lèvres au bébé.
– Tiens, p'tit moustique !
Et là, stupeur, que voit-il ?

"Elle" porte une couronne.
Une petite couronne, mais une couronne cependant ! Et ça, Roi ne le supporte pas.
Le seul roi, c'est lui.
Il porte une couronne depuis si longtemps !

« Mais c'est impossible », se dit-il.
Il est catastrophé :

– Maman ! gémit-il, elle a... elle a une couronne.
– Ben oui, mon chéri, c'est normal, ta petite sœur est une reine.
– Mais... mais... mais..., bégaie Roi.
Mais Maman a bien d'autres choses à faire que de s'occuper de Roi.
Il faut changer le bébé, le laver, lui mettre du talc.

Roi interroge son père. Et son père lui répond :
– Elle est belle ta sœur, n'est-ce pas ? C'est la plus jolie reine de tout le pays !
– Mais... mais... mais..., bégaie Roi.
Mais Papa a bien d'autres choses à faire que de s'occuper de Roi.
Il faut préparer le biberon, installer le lit et les jouets qui font de la musique.

Roi bondit dans le couloir, jusqu'à la galerie des ancêtres.
Eux vont l'écouter, c'est sûr.
– Vous comprenez, dit Roi, ce n'est pas possible !
Dans leurs tableaux, les ancêtres restent muets.
– Ah ! je vois, dit Roi. Vous ne dites rien, vous pensez sans doute que ma sœur doit aussi être reine. Vous êtes de son côté, voilà tout.

Roi s'approche rageusement du tableau de Pépé Léon. Il se colle presque à son visage pour lui parler :
– Tu comprends, Pépé Léon, je veux être le seul roi, ce n'est pas plus compliqué que cela !

Soudain, Roi croit entendre Mémé Caroline.
Il se précipite :
– Comment, que dis-tu, Mémé Caroline ? Que ma petite sœur a l'air gentille ? Et toi, Arrière-Mémé Lili, dis-moi donc ce que tu marmonnes ? Qu'elle est jolie peut-être ? Bravo, poursuit Roi. C'est tout ce que vous avez trouvé. Eh bien, qu'elle soit gentille et jolie, et... je ne sais pas quoi encore... je m'en fiche !

De colère, Roi a crié dans le couloir.
Il ajoute en disparaissant :
– Et vous allez voir !

Dès cet instant, Roi n'a plus qu'une seule idée : dérober la couronne de Reine.
S'en emparer.
Se l'approprier.
Cependant, Roi est malin :
« Surtout, ne pas attirer l'attention, décide-t-il. Il me faut agir discrètement. »

Il guette de longues minutes. Bientôt, c'est l'heure de la tétée. Le moment rêvé. Roi s'approche tranquillement, l'air de rien. Il se glisse contre sa mère, lui fait un gros câlin. Mais en même temps, il tend le bras doucement, très doucement, vers la tête de sa petite sœur.

– Ma parole, le taquine sa mère, tu veux encore biberonner. Mais tu es trop grand pour ça, mon chéri.
Elle le repousse gentiment.
« Raté ! » soupire Roi.

Roi reprend son poste de guet, une fois encore. *Ho ho !* la poussette est de sortie. Sa mère installe le bébé.
– Voilà, dit-elle, je vais chercher la petite couverture, et en avant pour une grande promenade.
« C'est bon, se dit Roi, à moi de jouer. »

Il s'approche, soulève la couverture. Ça y est, il va atteindre la couronne. Ah, zut ! Maman est revenue.
– Elle est jolie, n'est-ce pas, ta petite sœur, dit Maman.

Roi ne répond rien et s'en va.
« Encore raté ! » grommelle-t-il pour lui-même.

Les bébés, ça dort et ça tète.
Après la tétée, la promenade du matin.
Après la promenade, la tétée du midi.
Puis la sieste ! Voilà l'occasion.
La mère de Roi quitte la chambre du bébé.
– Fais de beaux rêves, ma petite reine !

Roi attend que sa mère ait franchi le bout du couloir, et ***hop !*** il se glisse dans la chambre, et ***re-hop !*** pas plus dur que ça, il s'empare de la couronne. Et voilà !

Vite, il faut que les ancêtres voient cela.
Roi s'engage dans la galerie, comme pour une parade militaire. Dans le creux de sa main, il présente son trophée : la couronne de sa sœur.

– Hé, les anciens, vous avez vu ?

Dans leurs tableaux, les ancêtres ne pipent mot.
– Ben keskya ? demande Roi. Allez, je vous écoute, parlez !

Dans leurs tableaux, les ancêtres sont toujours aussi silencieux.
– Ah, je vois, dit Roi, vous pensez sans doute que c'était trop facile. Un combat contre un bébé ! Moquez-vous, les anciens, moquez-vous ! Il n'empêche : la couronne, je l'ai, là.
Roi désigne le creux de sa paume.

– Comment, grogne Roi, qu'est-ce que j'entends ? Que j'ai l'air ridicule ? Mais, pas du tout. Je suis roi, et elle... elle...

Roi répète à nouveau :
– Moi je suis roi, et elle...
C'est difficile pour Roi tout à coup. Il regarde cette petite couronne dans le creux de sa main, et il n'est pas très fier.

Il se tourne vers les ancêtres.
– Allez ! semble dire Mémé Caroline dans son cadre.
– Courage ! paraît ajouter Arrière-Mémé Lili.
– Soyons forts ! a l'air de commander Pépé Léon.

– Bon, d'accord, admet soudain Roi. J'ai l'air ridicule. Et qu'elle soit Reine, ma sœur, après tout, je m'en fiche. D'ailleurs, sa couronne, je vais la lui rendre, et pas plus tard que maintenant.

Roi traverse la maison d'un air décidé.
Il entre dans la chambre de Reine.
Elle est réveillée, et gigote dans son lit.
– Tiens, dit Roi, voilà ta couronne, p'tit moustique.
En entendant la voix de son frère, Reine lui sourit.
– Tu peux sourire, dit Roi, je te rends ta couronne, mais je ne te connais pas ! Regarde !

Et voilà Roi qui grimace, avec sa bouche, son nez, ses doigts, sa langue.
Et plus Roi grimace, plus Reine sourit.

Soudain, Maman et Papa
entrent dans la chambre.

– Oh, s'exclame Maman, on s'amuse bien
par ici !
– Ah çà, dit Papa, seul un grand roi peut faire
sourire ainsi une reine. Je suis fier de toi,
mon fils.
Roi ne sait pas quoi dire.
– Heu, répond-il, j'étais seulement venu…

Maman s'agenouille près de lui. Elle prend
Roi dans ses bras, et lui murmure :

– Tu étais venu lui dire que tu l'aimes,
tout simplement, mon grand Roi.
Roi ne répond rien, mais il est très fier.
Il se précipite vers les ancêtres.
Il raconte ses grimaces, les sourires de Reine,
les compliments de ses parents.
Et il ajoute, en souriant :
– Vous savez, les anciens, finalement, comme
Reine, elle n'est pas si mal, ma petite sœur.

Et quand il quitte le couloir des ancêtres, Roi
est certain de les entendre s'écrier :
– Vive le Roi ! Vive la Reine !

La légende de saint Nicolas

Raconté par Robert Giraud, illustrations de Freddy Dermidjian

Un beau jour de printemps, trois enfants quittèrent leur maison sans rien dire à personne et partirent jouer dans la forêt voisine.
Quand le soir tomba, les enfants voulurent rentrer, mais ils furent incapables de retrouver leur chemin.

Après avoir longtemps marché, ils atteignirent la bordure de la forêt et aperçurent une maison où brillait de la lumière.
L'aîné des trois frappa à la porte.
Un gros homme au tablier blanc taché de sang leur ouvrit. C'était un boucher.

– Que voulez-vous, les enfants ? leur demanda le boucher. Que venez-vous faire ici ?
– Nous étions partis nous promener en forêt et nous nous sommes perdus, répondit le garçon. Nous sommes fatigués, nous avons faim et soif. Pouvez-vous nous garder chez vous pour cette nuit ? Nos parents vous diront un grand merci.
Pour leur malheur, ce boucher-là était un homme dur et cruel, capable des pires méfaits. Il leur répondit d'un ton doucereux :
– Mais bien sûr, mes petits ! Ne vous inquiétez de rien ! Je vais m'occuper de vous.

L'homme les fit entrer, les installa à la grande table de bois de sa cuisine et leur apporta une marmite de soupe.
– Régalez-vous, les enfants, leur dit-il pour les mettre tout à fait en confiance.

En même temps, il pensait :
« J'avais justement préparé dans le coin de la cuisine un tonneau pour saler des porcelets. Mais avec ces petits enfants je ferai des salaisons encore plus savoureuses. »
Le boucher se dirigea vers le tonneau, l'ouvrit, puis il attrapa les trois garçons, les fourra à l'intérieur et rabattit vivement le lourd couvercle.

« Eh bien, ricana-t-il, vous vouliez dormir chez moi ? Voilà qui est fait ! Vous dormirez là en toute tranquillité votre dernier sommeil. »

Le soir venu, les parents, ne trouvant pas leurs enfants, partirent à leur recherche. Ils grimpèrent sur la colline, inspectèrent les alentours, mais en vain. Ils se dirigèrent alors vers la forêt, la parcoururent en tous sens et arrivèrent devant la maison du boucher.

Celui-ci les reçut aimablement,
mais leur jura qu'il n'avait pas vu d'enfants.
Les parents regagnèrent leur maison bredouilles.

L'été et l'automne s'écoulèrent.
Pourtant les parents ne perdaient pas espoir.
Leurs garçons avaient peut-être été recueillis par des marchands passant sur la grande route et qui ne savaient où les ramener.

Le mois de décembre arriva.
Or, le 6 décembre, c'est la fête du saint évêque Nicolas. Dans de nombreux pays,
les enfants lui écrivent pour lui demander des cadeaux. Puis, la veille de la fête,
ils nettoient soigneusement leurs chaussures et les mettent devant la cheminée pour que saint Nicolas vienne y déposer jouets et friandises.

Cette année-là, le grand saint fut bien étonné de ne pas recevoir de lettres des trois enfants. Pressentant un malheur, saint Nicolas décida de redescendre sur terre. Sa mitre sur la tête et sa crosse en main, le bon évêque enfourcha son âne et se rendit chez les parents qui pleuraient toujours leurs enfants.

Alors l'âne, avec toujours le saint sur son dos, prit la direction de la forêt, la traversa et en ressortit non loin de la maison du boucher. Quand il aperçut celle-ci, l'animal, flairant un danger, s'arrêta brutalement.
Saint Nicolas en descendit et alla frapper à la porte du bout de sa crosse.

– Boucher, boucher, demanda saint Nicolas à l'homme qui lui ouvrait, voudrais-tu me loger?
Le méchant boucher reconnut aussitôt le saint et l'invita à entrer. Il le fit asseoir à sa grande table et lui proposa :
– Grand saint Nicolas, puis-je vous servir un morceau de mon rôti?
– Je ne veux point de ton rôti, répondit saint Nicolas, il m'a l'air un peu trop cuit.
– Vous prendrez bien une assiettée de mon ragoût ?
– Non, fit le saint, il n'est point à mon goût.
Il tendit alors le doigt vers l'angle du mur et dit :
– Mais je vois là un gros tonneau qui doit être plein de salaisons. C'est de cette viande-là que je veux manger.
En entendant ces paroles, le boucher hurla de peur et s'enfuit à toutes jambes.

Saint Nicolas lui cria :
– Reviens, boucher ! Quelle que soit ta faute, tu peux demander le pardon de Dieu.
Mais le boucher s'était déjà évanoui dans la nuit.

Le saint s'approcha alors du tonneau, frappa le sol de sa crosse, posa trois doigts sur le rebord et prononça :
– Vous trois qui êtes en ce tonneau, levez-vous, je vous l'ordonne, et sortez !

Le lourd couvercle se souleva, laissant apparaître trois petites têtes ébouriffées.
– Oh, grand saint Nicolas, s'exclama l'aîné, ébahi. C'est vous qui nous avez réveillés ? Je crois que nous avons longtemps dormi.
– Oh, oui, approuva le cadet en se frottant les yeux, j'en suis encore tout engourdi.
– Je faisais un si beau rêve, ajouta le plus jeune, radieux, je me croyais au paradis.
Saint Nicolas leur sourit avec bonté et leur expliqua :
– Le jour approche où je dois porter mes cadeaux aux enfants et j'avais peur que vous ne soyez pas prêts. C'est pourquoi j'ai décidé de venir vous réveiller.

Le saint remonta sur son âne et ils prirent tous ensemble le chemin du village.
Les parents, en voyant leurs petits sains et saufs, pleurèrent de joie cette fois et les serrèrent dans leurs bras. Ils ne savaient comment remercier saint Nicolas.

Celui-ci dit alors aux garçons :
– Vous savez que, la nuit du 6 décembre, j'apporte des cadeaux aux enfants qui ont été sages et obéissants. Vous ne devez plus jamais partir vous promener sans la permission de vos parents. Je veux aussi vous demander, quand vous placerez vos chaussures devant l'âtre, d'y déposer une carotte pour mon âne. Car c'est grâce à lui que j'ai pu venir vous délivrer, et il mérite bien une gentillesse.

Le saint homme, frappant du plat de la main la croupe de sa monture, disparut au loin, tandis que parents et enfants lui faisaient de grands signes d'adieu.

Depuis ce temps-là, la veille du 6 décembre, les enfants de la région mettent toujours dans leurs chaussures une carotte pour l'âne de saint Nicolas.

Le méchant loup du soir

Martine Guillet, illustrations de Gilles Frély

– Maman ! Maman ! Le grand méchant loup s'est caché sous mon lit ! hurle Vincent. Je vois ses grands méchants poils !
– Mais non, Vincent ! dit Maman. Regarde bien, c'est ton gros ours en peluche. Tu l'as oublié là-dessous… Calme-toi, il est l'heure de dormir maintenant.

– Maman, Maman ! Le grand méchant loup s'est caché derrière la porte ! hurle Vincent. Je vois sa grande méchante bouche. Il veut me manger !
– Mais non, Vincent ! dit Maman. Regarde, ce n'est que ton peignoir. Il est mal accroché au portemanteau ! Allez, maintenant il est temps de dormir.

– Maman ! Maman, le grand méchant loup du soir s'est caché dans mon placard ! hurle Vincent. Je vois ses grands méchants yeux.
– Mais non, Vincent ! dit Maman. Regarde mieux. Dans ton placard, il n'y a que tes jouets. Tu ne les as pas bien rangés.

– Maman ! Maman ! Le grand méchant loup…
– Ah ! ça suffit ! dit Maman Il n'y a pas de grand méchant loup dans la maison. Ni dehors ni ailleurs.
– Mais si ! crie Vincent. Regarde encore une fois !

– Enfin, dit Maman en prenant son petit garçon dans les bras, le grand méchant loup n'existe pas ! Il n'existe que dans les livres. Ici, il n'y a personne !
– Mais quand je vais me coucher, je l'entends. Il remue derrière le mur.
– Ah ! C'est Papa qui travaille. Il range ses affaires dans le bureau.

– Mais quand je m'endors, je l'entends. Il marche tout doucement dans le couloir.
– C'est ton frère qui ne fait pas de bruit. Il ne veut pas te réveiller !

– Mais quand je dors, je l'entends. Il ouvre ma porte. Il marche dans ma chambre. Il vient à côté de mon lit.
– Mais c'est moi, dit Maman en riant. Tous les soirs, avant de me coucher, je viens voir si tu dors bien. Je te couvre, je te fais un bisou. Je ne suis pas le grand méchant loup !

Maintenant, Vincent est rassuré dans les bras de sa maman. Il est bien content d'avoir encore un câlin. Il n'a plus peur du tout.
– Tu sais, dit Maman, le grand méchant loup n'existe pas. Mais je connais le tout petit loup. C'est un coquin.
– Le tout petit loup ? demande Vincent très étonné. Mais qu'est ce qu'il fait celui-là ?
– Il laisse traîner ses jouets par terre.
– Comme moi ! dit Vincent tout content. Et quoi encore ?
– Il accroche mal ses vêtements au portemanteau !
– Ah ! dit Vincent. Et... quoi encore ?

– Il ne range pas ses affaires dans le placard !
– Hum ! fait Vincent inquiet. Alors sa maman n'est pas contente. C'est vraiment un coquin ! Est-ce qu'il mange celui-là ?
– Tous les soirs, dit Maman, il appelle sa maman pour avoir de gros câlins, et il la dévore de bisous.
– Moi aussi j'aime les câlins et les bisous, dit Vincent. Et où il est... ce tout petit loup ?
– Il est dans mes bras ! C'est toi, mon petit loup adoré !

Le souriceau le plus courageux du monde

Raconté par Albena Ivanovitch-Lair et Robert Giraud
d'après un conte du Grand Nord, illustrations de Pierre Bailly

Un petit souriceau partit un matin pour une longue promenade.
Sa grand-mère souris lui recommanda d'être prudent et l'accompagna jusqu'à l'entrée du terrier.

Le souriceau ne revint que le soir, fatigué et affamé.
– Oh, Grand-mère ! s'écria-t-il. Tu ne devinerais jamais ce qui m'est arrivé ! Mais d'abord, donne-moi à manger, s'il te plaît, je meurs de faim !

La grand-mère lui servit une grande part de galette et une soucoupe d'eau.
Le souriceau se dépêcha d'avaler les premières bouchées, puis il raconta :
– Tu te rends compte, Grand-mère ! Je suis le plus fort, le plus agile et le plus courageux de tous les animaux du monde. Dire que, jusqu'à aujourd'hui, je ne le savais pas !
– Et comment t'en es-tu aperçu ? lui demanda sa grand-mère.

– Tu vas voir ! répondit le petit souriceau, tout excité. Je suis sorti du terrier, j'ai marché, j'ai marché et je suis arrivé au bord d'une mer immense, avec plein de vagues.

– Mais je n'ai pas eu peur, expliqua le petit souriceau. Je me suis jeté à l'eau et j'ai traversé la mer à la nage. Je n'aurais jamais pensé que je savais aussi bien nager.
– Où est-elle donc, cette mer ? interrogea la grand-mère.
– Loin, très loin de notre terrier, du côté où le soleil se lève, répondit le souriceau.

– Je la connais, cette mer, dit la grand-mère. Elle est en bordure de la clairière du grand chêne, n'est-ce pas ?
– Oui, fit le petit.
– Mais sais-tu, que c'est un renne qui l'a faite ? Un renne, aussi grand que celui que tu vois par la fenêtre, est passé par là l'autre jour, son sabot s'est enfoncé dans le sol et le creux ainsi formé s'est rempli d'eau.

Le souriceau, sans se décourager, reprit :
– Peut-être, mais ce n'est pas tout. D'abord, je me suis fait sécher au soleil, puis je suis reparti.

Il s'arrêta pour croquer un bout de galette, puis poursuivit son récit :
– Aussitôt, j'ai vu une montagne terriblement haute, même que les arbres qui poussaient dessus montaient jusqu'aux nuages Plutôt que d'en faire le tour, j'ai décidé de sauter par-dessus. J'ai pris mon élan et j'ai franchi la montagne. Je n'aurais jamais pensé que je pouvais sauter aussi haut.
– Ta montagne aussi je la connais, dit la grand-mère. Derrière le creux rempli d'eau, il y a une grosse motte de terre couverte d'herbe.

Le souriceau poussa un gros soupir et continua :
– Attends, ce n'est pas fini ! J'ai vu deux ours en train de se battre. Ils se griffaient, se mordaient avec leurs vilaines dents rouges.

Il avala encore quelques bouchées avant d'ajouter :
– Mais je n'ai pas eu peur. Je me suis jeté entre eux et je les ai envoyés balader chacun d'un côté. Je n'en revenais pas d'être venu tout seul à bout de deux ours.

La grand-mère réfléchit un moment, puis dit :
– Ils avaient de vilaines dents rouges, tu dis ? Alors, c'étaient des musaraignes.
Le souriceau soupira à fendre l'âme :
– Alors, je ne suis ni fort, ni agile, ni courageux. J'ai traversé une flaque de rien du tout, j'ai sauté par-dessus une simple motte de terre et j'ai bousculé seulement deux musaraignes...

Et il fondit en larmes.

Mais sa grand-mère rit doucement et le consola :
– Pour un si petit souriceau qui ne sait pas encore grand-chose, une trace de sabot est vraiment une mer, une motte de terre est vraiment une montagne, des musaraignes sont vraiment des ours. L'essentiel, c'est que tu n'as jamais eu peur. Donc, tu es bien le plus fort, le plus agile et le plus courageux de tous les animaux du monde.

Les sept corbeaux

D'après les frères Grimm, illustrations de Pascale Wirth

Un homme avait sept garçons et toujours pas de fille, bien qu'il en désirât une de plus en plus. Enfin sa femme attendit un nouvel enfant et quand l'enfant naquit, ce fut une fille.
Grande fut leur joie à tous deux.
Mais la petite, malheureusement, était si fluette et si faible qu'elle risquait de mourir d'un moment à l'autre.
Le père envoya en toute hâte l'un des garçons à la source, chercher l'eau pour la rafraîchir. Les six autres y coururent avec lui, et tandis qu'ils se disputaient à qui remplirait la cruche, elle leur échappa et tomba au fond. Ils restèrent là, atterrés, et ne sachant que faire, n'osant en tout cas pas rentrer.

Ne les voyant toujours pas revenir, le père, irrité et impatient, s'écria :

– Ils sont sûrement en train de s'amuser, et ils en oublient la petite !
Il avait tellement peur que le bébé mourût, qu'il s'emporta et dit :
– Je voudrais les voir tous transformés en corbeaux !

À peine le père avait-il prononcé ces paroles, qu'il entendit au-dessus de sa tête un froissement d'ailes en l'air. Il leva les yeux, et vit sept corbeaux d'un noir brillant, qui s'éloignaient à tire-d'aile.

Il était trop tard pour que les parents puissent revenir sur la malédiction ; mais s'ils se désolèrent de la perte de leurs sept garçons, ils se consolèrent néanmoins un tout petit peu en voyant que leur petite fille, non seulement avait échappé à la mort, mais prenait de nouvelles forces, et gagnait en beauté jour après jour.

Pendant des années la petite fille ignora qu'elle avait eu des frères. Ses parents lui avaient soigneusement caché la chose. Mais il advint un jour, tout à fait par hasard, qu'elle entendît des gens parler d'elle, et dire qu'elle était bien jolie, vraiment bien jolie, et que c'était vraiment dommage qu'elle eût fait le malheur de ses sept frères.

Bouleversée, elle courut interroger son père et sa mère pour savoir si elle avait eu des frères, et apprendre ce qu'ils étaient devenus. Ne pouvant garder plus longtemps le secret, les parents lui assurèrent que c'était la volonté du ciel, et que ce n'était pas de sa faute à elle si sa naissance avait occasionné le cruel événement.
Néanmoins la fillette s'en fit grief dans son cœur, et se tint pour personnellement responsable. Chaque jour elle s'accusait de la chose en croyant de plus en plus fermement que c'était son devoir de libérer ses frères de la malédiction. Elle n'eut plus ni trêve ni repos.

Un matin, elle décida de s'en aller en cachette de chez ses parents pour parcourir le vaste monde à la recherche de ses frères afin de les libérer, où qu'ils fussent.

Elle ne prit avec elle qu'une petite bague
en souvenir de ses parents, une miche
de pain contre la faim, une cruche d'eau
contre la soif, et un petit tabouret
contre la fatigue.

Ainsi, elle s'en alla au loin, toujours plus loin,
jusqu'au bout du monde.
Quand elle s'approcha du soleil, comme
sa chaleur était trop forte, comme il était
trop effrayant et dévorait les petits enfants,
elle s'éloigna bien vite.
Elle courut vers la lune. Mais celle-ci était
bien trop froide, sinistre et méchante,
car dès que la petite approcha, la lune dit :
– Ça sent, ça sent l'odeur de chair humaine !
Aussi l'enfant s'éloigna-t-elle bien vite.

Elle courut vers les étoiles qui se montrèrent
amicales et bonnes pour elle, et qui étaient
toutes assises sur leur petite chaise particulière.
Alors l'étoile du matin se leva pour lui donner
un petit osselet.

– Si tu n'as pas le petit osselet, lui dit-elle,
tu ne pourras pas ouvrir la Montagne de Verre ;
et c'est dans la Montagne de Verre
que sont tes frères.
La petite déposa l'osselet précieusement
dans son mouchoir, le noua par-dessus,
et s'en alla.

Elle marcha sans cesse jusqu'à ce qu'elle fût
arrivée à la Montagne de Verre. La porte était
fermée. Quand elle dénoua son mouchoir,
il n'y avait plus rien dedans : elle avait perdu
le précieux cadeau des étoiles !
Que pouvait-elle faire à présent ? Ses frères,
elle voulait les sauver ; mais la clef de la
Montagne de Verre, elle ne l'avait plus !
En bonne petite sœur qu'elle était, elle prit
un couteau, et se coupa le petit doigt,
le poussa dans le trou de la serrure,
et réussit à ouvrir la porte.

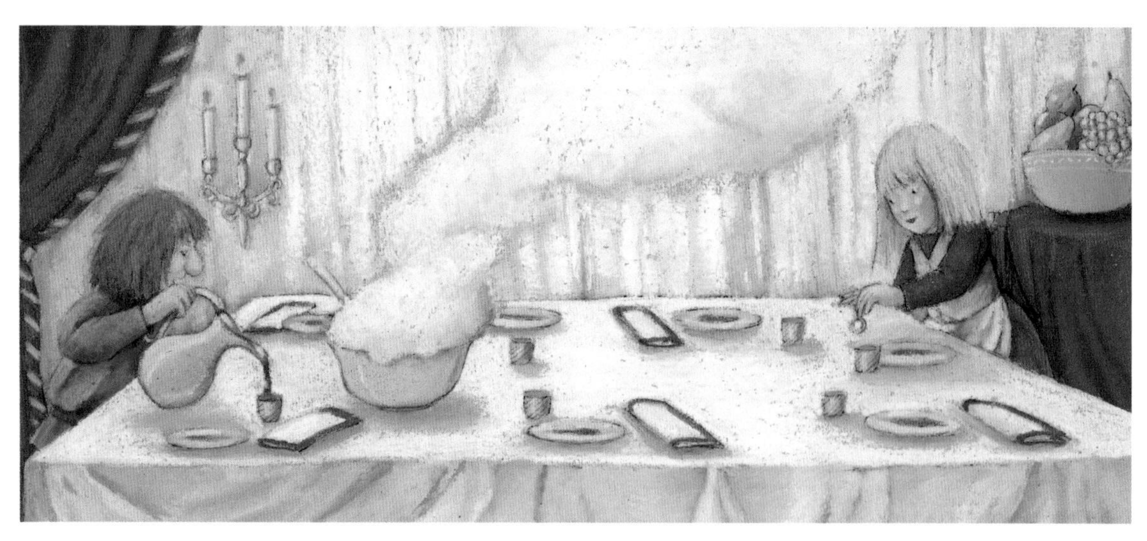

Une fois qu'elle fut entrée, un petit nain vint à sa rencontre et lui demanda :
– Que cherches-tu, mon enfant ?
– Je cherche mes frères, répondit-elle, les sept corbeaux.
– Messieurs les corbeaux ne sont pas à la maison, dit le nain, mais si tu veux attendre jusqu'à ce qu'ils reviennent, tu n'as qu'à entrer.

Pendant qu'elle attendait, le petit nain servit le repas des corbeaux dans sept petites assiettes et sept petits gobelets.
Alors la petite sœur mangea un petit quelque chose dans chacune des sept petites assiettes, et but une toute petite gorgée dans chacun des sept petits gobelets.
Elle laissa tomber dans le septième la bague qu'elle avait emportée avec elle.

Tout à coup, on entendit dans l'air un grand bruit d'ailes et des croassements.
– Voilà Messieurs les corbeaux qui rentrent, dit le nain.

C'étaient eux, en effet, et quand ils furent là, ils voulurent manger et boire, cherchant chacun son assiette et son gobelet.
Mais l'un après l'autre ils dirent :
– Qui a mangé dans ma petite assiette ?
– Et qui a bu dans mon petit gobelet ?
– Il y a des lèvres humaines par ici !
Et comme le septième finissait son gobelet, la petite bague tomba devant lui. Il regarda ce que c'était et reconnut en elle une bague de ses parents, sur quoi il s'exclama :
– Plût à Dieu que notre petite sœur fût là, nous serions délivrés !

En entendant ce souhait, la fillette,
qui s'était cachée derrière la porte,
sortit et s'avança vers ses frères.
Les sept corbeaux retrouvèrent instantanément
leur forme humaine, et vinrent embrasser
leur petite sœur et la serrer sur leur cœur.
Puis ils rentrèrent tous ensemble,
joyeusement, à la maison.

Je veux ma maman !

Claire Clément, illustrations de Madeleine Brunelet

Petit Écureuil s'est perdu en courant comme un fou dans la forêt. Son papa et sa maman le cherchent partout, mais c'est Paul qui l'a trouvé.
Petit Écureuil est blessé : il a une grosse épine dans le pied qui l'empêche de sauter.
Alors Paul le ramasse, le met dans son anorak, tout contre sa poitrine, et il rentre bien vite chez lui.

Sa maman enlève la grosse épine, puis elle dit à Paul :
– Voilà, maintenant Petit Écureuil peut retourner dans la forêt.
Mais Paul veut le garder. Il lui fabrique une maison, avec une boîte en carton, puis il lui cherche un nom.
Il l'appelle Frisson, parce que Petit Écureuil a toujours l'air d'avoir froid.

Mais Petit Écureuil n'a pas froid ! Il veut sa maman, mais ça, Paul ne le comprend pas.
Paul lui apporte de la salade, des glands, des noisettes et même des bananes ! Mais Petit Écureuil n'a pas faim. Il veut sa maman, mais ça, Paul ne le comprend pas.

Paul lui raconte des histoires, lui montre des images. Il se déguise aussi pour le faire rire. Mais Petit Écureuil n'a pas envie de jouer. Il veut sa maman, mais ça, Paul ne le comprend pas.

Alors Paul prend Petit Écureuil dans ses bras, l'embrasse sur le bout du nez, pour un peu le câliner. Mais Petit Écureuil n'a pas envie d'être bercé. Il veut sa maman !

Le lendemain, Maman
emmène Paul au zoo.
Il regarde les éléphants,
les girafes, il donne du pain
aux cygnes, il parle aux phoques.
Et là-bas, il aperçoit les singes.
Paul court, tout excité.
Les singes font des grimaces,
se grattent, se disputent, s'embrassent.
Et Paul rit, il rit ! Il se retourne
pour rire avec sa maman, mais...
Maman, où est-elle ?

Paul regarde partout, à droite,
à gauche, mais Maman a disparu.
Paul a perdu sa maman.
Les singes ne le font plus rire,
Paul ne regarde plus les éléphants,
ni les girafes, il ne veut plus parler
aux phoques, ni donner à manger
aux cygnes. Paul veut sa maman.
Un monsieur lui prend la main et lui dit :
– Tu as perdu ta maman ? Viens, nous allons
la chercher ensemble.
Et, en attendant, il lui propose une gaufre !
Mais Paul n'a pas faim. Il veut sa maman.
Le monsieur imite un singe, pour le faire rire.
Mais Paul se met à pleurer :
– Je... veux... ma... ma...man... !

Et tout à coup, Maman est là, devant lui.
Paul se jette dans ses bras, et il crie :
– Maman !
Il pleure, et il rit de joie.

En rentrant à la maison, Paul va voir Frisson.
Il lui dit :
– Frisson, je sais pourquoi tu ne manges pas,
et pourquoi tu as toujours l'air d'avoir froid.
Tu es malheureux, n'est-ce pas ? C'est ta
maman que tu veux ?
Alors, pour la première fois, Paul voit
dans les yeux de Frisson des petits points
d'or comme une pluie de joie !

Le lendemain, Paul ramène Frisson dans
la forêt. Papa et Maman Écureuil sont là.
Ils serrent très fort leur petit dans leurs bras.

Le pinceau magique

Raconté par Didier Dufresne d'après un conte chinois,
illustrations de Stéphane Girel

Wang Li était le plus jeune fils d'une famille de paysans. Il vivait au pied des montagnes du nord de la Chine, et s'occupait à garder un petit troupeau de chèvres.
Comme les journées étaient longues, il passait son temps à observer la nature et à admirer le paysage.

Wang Li aimait beaucoup dessiner.
Il rêvait d'apprendre la peinture pour raconter toutes les beautés du Monde. Hélas, il était si pauvre qu'il ne pouvait s'acheter un pinceau.

Un jour, en passant devant une école, Wang Li vit un maître peignant un tableau. Sur une table basse s'alignaient des pinceaux de toutes tailles.
Wang Li s'inclina devant l'homme :
– Maître, demanda-t-il, pouvez-vous me prêter un pinceau ? Je voudrais apprendre la peinture.
Voyant les vêtements usés de Wang Li, le maître se mit à ricaner :
– Un petit pauvre qui veut apprendre la peinture ! Allons, misérable, passe ton chemin.

Wang Li s'éloigna, triste mais décidé.
« Si c'est ainsi, j'apprendrai seul », se dit-il.

Wang Li se mit à dessiner chaque fois
qu'il en avait le temps.
Quand il ramassait du bois mort pour
en faire des fagots, il dessinait des oiseaux
sur le sol avec une brindille.
Quand il gardait le troupeau près
de la rivière, il trempait son doigt dans l'eau,
et dessinait des poissons sur les rochers
de la rive...

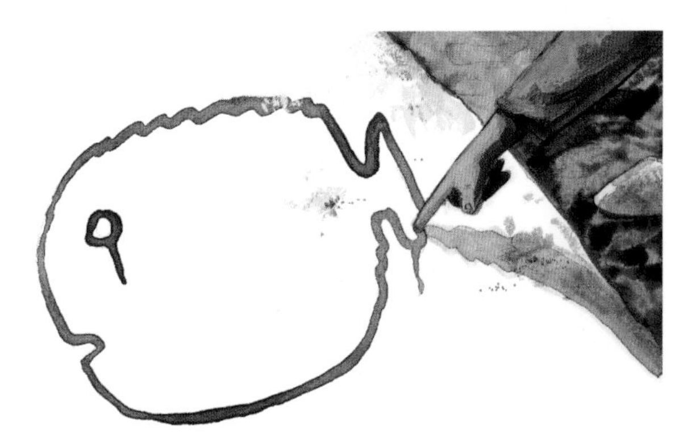

Le temps passa...
Wang Li dessinait si bien les oiseaux et
les poissons, qu'on s'attendait à les entendre
chanter ou à les voir nager. Pourtant,
il n'avait toujours pas de pinceau...
Une nuit, il rêva qu'un homme à la barbe
blanche lui tendait un pinceau en disant :

« Voici un pinceau magique, il est pour toi. »
Quand il se réveilla, Wang Li tenait à la main
un pinceau au manche de bambou.
« C'est le même que celui de mon rêve ! »
s'étonna le jeune garçon.
Aussitôt, il peignit un oiseau, et celui-ci
s'envola dans les airs. Il peignit ensuite
un poisson qui sauta dans la rivière.

Wang Li comprit alors que le vieillard avait
raison : ce pinceau était vraiment magique !
Il se mit donc à peindre pour les pauvres du
village. Il peignait des charrues, des lampes,
du grain, des poules et des cochons.
Et chacun repartait avec ce que Wang Li
avait créé avec son pinceau magique.

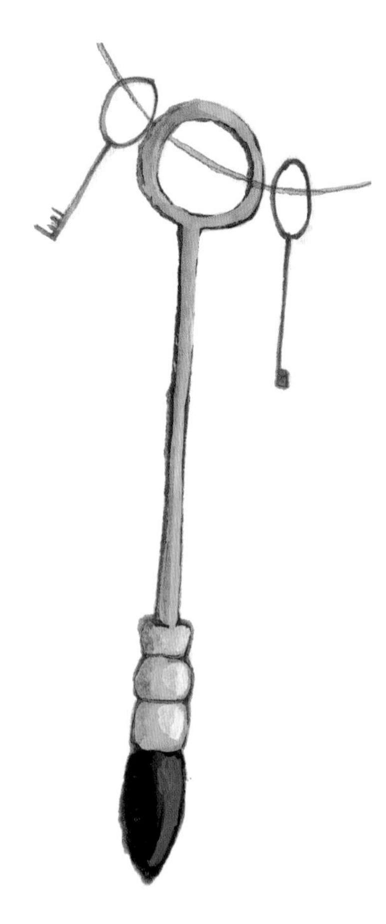

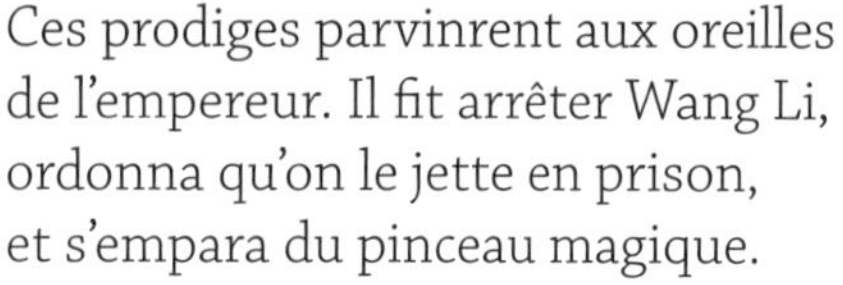

Ces prodiges parvinrent aux oreilles
de l'empereur. Il fit arrêter Wang Li,
ordonna qu'on le jette en prison,
et s'empara du pinceau magique.

L'empereur se mit aussitôt à peindre
des sacs d'or... Dès qu'il eut terminé,
la montagne de sacs d'or se transforma
en un misérable tas de cailloux.
Il peignit alors des pierres précieuses...
Elles tombèrent en poussière !

L'empereur comprit vite que seul Wang Li
pouvait se servir du pinceau magique.
Il le fit sortir de sa prison, et lui dit :
– Tu vas peindre pour moi tout ce que
je t'ordonnerai. Pour voir ce dont tu es
capable, tu vas d'abord peindre la mer.

Wang Li prit le pinceau magique
et, en quelques instants,
la mer s'étendit au pied du palais.
L'empereur ordonna :
– Peins aussi des poissons !
Le pinceau dessina mille poissons
qui se mirent à nager dans l'eau transparente.
C'était si beau que l'empereur voulut naviguer.
– Vite, un bateau ! ordonna-t-il.
Le pinceau virevolta, et un magnifique navire
apparut sur les flots.

L'empereur monta à bord avec toute
sa cour...
Un coup de pinceau, et la brise se leva,
gonflant les voiles.
Le navire s'éloigna du rivage.
– Encore du vent ! cria l'empereur.

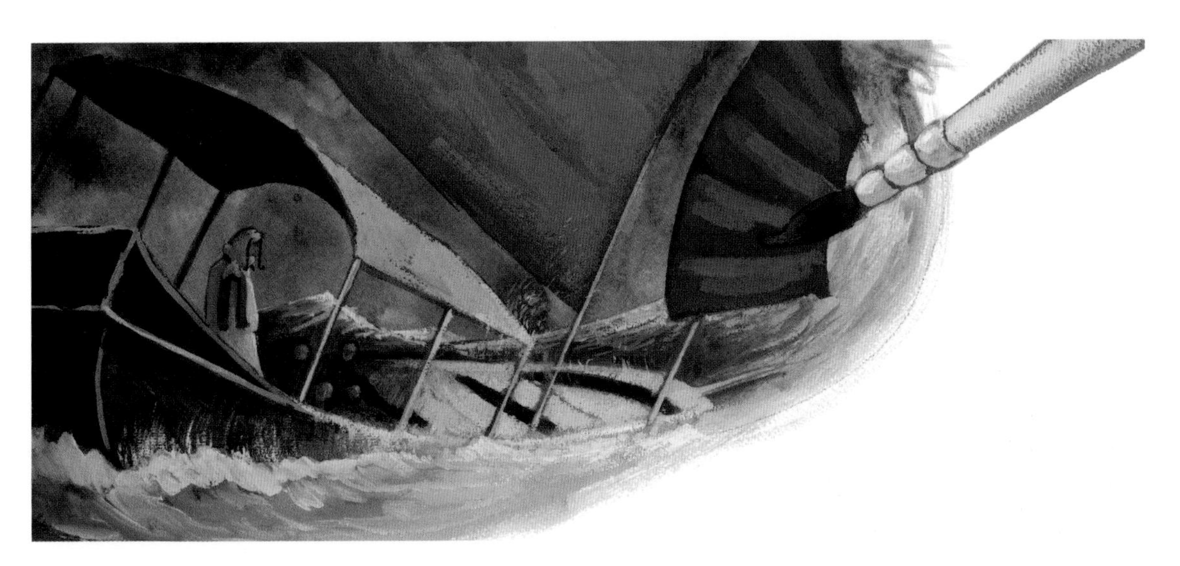

Wang Li ajouta plusieurs coups de pinceau.
La mer s'agita, et les vagues se creusèrent.
Des paquets d'eau s'abattirent sur le pont.
L'empereur était trempé.
– Ça suffit, maintenant ! hurlait-il dans
la tempête. Assez de vent !

Mais Wang Li ne l'écoutait plus...
Son pinceau allait et venait dans le ciel,
traçant de larges courbes.
Les hurlements de l'empereur se perdaient
dans le bruit du vent.

Le navire était ballotté par les vagues
écumantes. Bientôt, il disparut à l'horizon,
entraînant avec lui l'empereur
et toute sa cour.

Bang Li rangea son pinceau magique,
et la tempête s'apaisa.

Il retourna alors dans son village,
où il passa le reste de sa vie à peindre
pour les pauvres gens.

Les 3 questions

Raconté par Didier Dufresne d'après la tradition chinoise,
illustrations de Bruno Pilorget

Liang habitait avec sa mère une pauvre maison de bambou, au pied de la montagne de la Grande Solitude.
Ils vivaient des maigres récoltes que Liang tirait d'un petit champ.

Malgré ses efforts, le jeune homme ne parvenait pas à économiser assez d'argent pour réparer le toit de la maison.
– J'en ai assez, dit-il un jour. Je vais aller demander au vieux sage pourquoi nous sommes si pauvres, alors que je travaille tant.
– C'est un bien long voyage, dit sa mère.
– J'ai de bonnes jambes, dit Liang.

Liang partit tôt le lendemain matin.
Il escalada la montagne de la Grande Solitude, descendit dans la vallée, et marcha jusqu'à la nuit.

Arrivé devant une petite maison de pierre, il frappa à la porte. Une femme vêtue de noir lui ouvrit.
– Que veux-tu, étranger ? demanda-t-elle.
– Je vais poser une question au vieux sage, répondit Liang. Je voudrais me reposer.
– Entre donc, dit la femme. Ma fille est en ville, tu pourras dormir dans sa chambre.

Au lever du soleil, Liang remercia la femme en noir. Il se préparait à partir quand elle lui dit :
– Depuis sa naissance, ma fille Xia n'a jamais parlé… Peux-tu demander au vieux sage pourquoi elle est muette ?
– Entendu, promit Liang.
Puis il s'éloigna sur le chemin…

Liang gravit la montagne du Secret Espoir. Le soir venu, il se trouva de l'autre côté. Là, il aperçut une petite maison de brique devant laquelle poussait un magnifique oranger.
Un vieil homme était assis au pied de l'arbre.
Liang s'approcha.
– Où vas-tu, mon garçon ? dit l'homme.
– Je vais poser deux questions au vieux sage, répondit Liang.
– Tu ne vas pas poursuivre ton voyage le ventre vide…
Liang partagea le repas du vieil homme, qui lui prépara ensuite un bon lit de paille de riz.

Au petit matin, Liang était parfaitement reposé. Le vieux lui demanda :
– Peux-tu poser pour moi une question au vieux sage ?
– Certainement, dit Liang.

– Alors demande-lui pourquoi mon oranger ne donne jamais de fruits.
– C'est promis, assura Liang.

Au loin, la montagne de la Vérité Éternelle barrait l'horizon de ses sommets pointus. C'est là, disait-on, que vivait le vieux sage. Vers midi, Liang arriva au bord d'une rivière infranchissable. Les flots tumultueux grondaient. Il aurait fallu la force d'un dieu pour traverser à la nage... Découragé, le jeune homme s'assit près d'un gros rocher.

Liang resta ainsi pendant des heures. Soudain, il sentit un souffle chaud dans son cou. Il sursauta et se leva d'un bond : un dragon se dressait devant lui !

Sa tête se balançait devant Liang, faisant miroiter ses écailles. Sa queue battait le sol en soulevant la poussière. Deux petites ailes s'agitaient sur son dos.
Liang n'avait jamais vu de dragon.
Il roulait des yeux, prêt à s'enfuir.

L'animal se mit à parler :
– Où vas-tu, petit humain fragile ? demanda-t-il.
– Je vais poser trois questions au vieux sage, répondit Liang tout tremblant. Et il ajouta : Mais cette rivière m'empêche de poursuivre mon chemin.
Le dragon hocha la tête et dit :
– Je veux bien te faire traverser, mais tu devras me rendre un service.

– Lequel ? demanda Liang.
– Peux-tu demander au vieux sage pourquoi j'ai des ailes mais je ne puis voler ?
– C'est d'accord, répondit Liang.
Le dragon fit monter le jeune homme sur sa tête, et se mit à nager. En un instant, la rivière se trouva traversée.

Liang escalada la montagne de la Vérité Éternelle. Il trouva le vieux sage à l'entrée d'une grotte, tout près du sommet.
– Approche, petit, dit celui-ci en l'apercevant.
Liang fit quelques pas vers lui, puis s'agenouilla, les yeux baissés.
– Relève-toi, dit le vieux sage. Que me veux-tu ?
– J'ai quatre questions à vous poser, maître vénéré.
Le vieux sage fit claquer trois fois sa langue :
– *Tss ! Tss ! Tss !* Je ne puis répondre qu'à trois questions. Pas une de plus !

Liang réfléchit. Voilà qui était bien ennuyeux. Il ne savait pas laquelle des quatre questions éliminer. Il pensa à ceux qui l'avaient aidé. Sans eux, il ne serait peut-être pas là. Et il avait promis... Alors il posa leurs questions, et oublia la sienne.

Quand il eut ses trois réponses,
Liang remercia le vieux sage, et s'engagea
sur le chemin du retour. Bien sûr,
il regrettait un peu de n'avoir pas posé
sa question. Pourtant, il brûlait d'impatience
de porter les trois réponses qu'il possédait.

Le dragon le vit arriver de loin.
– Alors, as-tu la réponse à ma question ?
demanda-t-il.
– Le vieux sage a dit que tu pourrais voler
quand tu aurais commis deux bonnes actions.
Le dragon fit traverser Liang.
– Voilà ma première bonne action, dit-il.
Et prend cette griffe, elle te portera bonheur.
C'est ma deuxième bonne action.
Et, sur ces paroles, le dragon s'envola...

Quand Liang arriva chez l'homme à l'oranger,
celui-ci lui demanda :
– Alors, le vieux sage a-t-il répondu
à ma question ?
– Il m'a dit que des pièces d'or sont enterrées
sous ton oranger, annonça Liang. C'est ce qui
l'empêche de donner des fruits.
Aussitôt, le vieil homme se mit à creuser.
Entre les racines de l'oranger, il trouva
un coffret rempli de pièces d'or.
Il dégagea le coffret, reboucha le trou,
et l'oranger se couvrit de fruits.
Le vieux était si heureux, qu'il donna
la moitié du trésor à Liang.

Liang reprit sa route. La femme en noir
l'attendait devant sa maison.

Elle se précipita vers lui en demandant :
– Dis-moi, mon garçon, le vieux sage t'a-t-il
dit pourquoi ma fille est muette ?
– Non, répondit Liang. Mais il m'a dit qu'elle
retrouvera la parole à l'instant où elle tombera
amoureuse.
À ce moment précis, la jeune fille sortit
de la maison. Elle fixa longuement Liang
de ses grands yeux noirs.
– Qui est ce visiteur ? demanda la jeune fille.
– Ma fille parle ! Ma fille parle ! s'écria la mère
en la couvrant de baisers.

Ils bavardèrent un long moment tous les trois.
– Je dois partir, maintenant, dit Liang.
Ma mère m'attend.
– Vous reviendrez bientôt ? demanda la jeune
fille en baissant les yeux.
– Je vous le promets ! s'écria Liang.
Et je tiens toujours mes promesses...

Quand il rentra chez lui, Liang retrouva
sa mère occupée à préparer le dîner.
– Alors, fils ? demanda-t-elle. As-tu la réponse
à ta question ?
– Hélas non ! Mère, répondit Liang.
Mais j'ai bien mieux que cela.
Il lui montra les pièces d'or
et la griffe de dragon.

– Nous sommes riches ! s'écria-t-il joyeusement.
Et il lui raconta son aventure…

Liang et sa mère vécurent heureux.
L'or du vieil homme leur apporta la fortune.
La griffe du dragon leur donna bonheur et santé toute leur vie.

Mais pour Liang, ce qui valait plus que tout l'or de la terre, plus que les griffes de mille dragons, c'était le sourire et la voix mélodieuse d'une jeune fille.
Elle s'appelait Xia…
Quand il eut fait réparer le toit,
Liang l'épousa !

Le Chat botté

D'après Charles Perrault, illustrations de Gérard Franquin

Un meunier ne laissa pour tous biens, à trois enfants qu'il avait, que son moulin, son âne et son chat. Les partages furent bientôt faits : ni le notaire ni le procureur n'y furent appelés ; ils auraient eu bientôt mangé tout le pauvre patrimoine.

L'aîné eut le moulin. Le second eut l'âne. Et le plus jeune n'eut que le chat.
Ce dernier ne pouvait se consoler d'avoir un si pauvre lot.
– Mes frères, disait-il, pourront gagner leur vie honnêtement en se mettant ensemble ; pour moi, lorsque j'aurai mangé mon chat et que je me serai fait un manchon de sa peau, il faudra que je meure de faim.

Le Chat, qui entendait ce discours, mais qui n'en fit pas semblant, lui dit d'un air posé et sérieux :
– Ne vous affligez point, mon maître ; vous n'avez qu'à me donner un sac et me faire une paire de bottes pour aller dans les broussailles, et vous verrez que vous n'êtes pas si mal partagé que vous croyez.

Quoique le maître du Chat ne fît pas grand fond là-dessus, il lui avait vu faire tant de tours de souplesse pour prendre des rats et des souris, comme quand il se pendait par les pieds ou qu'il se cachait dans la farine pour faire le mort, qu'il ne désespéra pas d'en être secouru dans sa misère.

Lorsque le Chat eut ce qu'il avait demandé, il se botta bravement, et, mettant son sac à son cou, il en prit les cordons avec ses pattes de devant, et s'en alla dans une garenne où il y avait grand nombre de lapins. Il mit du son et des lacerons dans son sac ; et, s'étendant comme s'il eût été mort, il attendit que quelque jeune lapin peu instruit encore des ruses de ce monde vînt se fourrer dans son sac pour y manger ce qu'il y avait mis.
À peine fut-il couché qu'il eut contentement : un jeune étourdi de lapin entra dans son sac ; et le maître Chat, tirant aussitôt les cordons, le prit et le tua sans miséricorde.

Tout glorieux de sa proie, il s'en alla chez le roi et demanda à lui parler. On le fit monter à l'appartement de Sa Majesté, où, étant entré, il fit une grande révérence au roi, et lui dit :
– Voilà, sire, un lapin de garenne que M. le marquis de Carabas (c'était le nom qu'il prit en gré de donner à son maître) m'a chargé de vous présenter de sa part.

– Dis à ton maître, répondit le roi, que je le remercie et qu'il me fait plaisir.

Une autre fois, il alla se cacher dans un blé, tenant toujours son sac ouvert ; et, lorsque deux perdrix y furent entrées, il tira les cordons et les prit toutes deux.

Il alla ensuite les présenter au roi, comme il avait fait du lapin de garenne. Le roi reçut encore avec plaisir les deux perdrix, et lui fit donner pour boire.
Le Chat continua ainsi, pendant deux ou trois mois, à porter de temps en temps au roi du gibier de la chasse de son maître.

Un jour qu'il sut que le roi devait aller à la promenade sur le bord de la rivière avec sa fille, la plus belle princesse du monde, il dit à son maître :
– Si vous voulez suivre mon conseil, votre fortune est faite ; vous n'avez qu'à vous baigner dans la rivière, à l'endroit que je vous montrerai, et ensuite me laisser faire.
Le marquis de Carabas fit ce que son chat lui conseillait, sans savoir à quoi cela serait bon.

Dans le temps qu'il se baignait, le roi vint à passer ; et le Chat se mit à crier de toute sa force :
– Au secours ! Au secours ! Voilà M. le marquis de Carabas qui se noie !
À ce cri, le roi mit la tête à la portière ; et, reconnaissant le Chat qui lui avait apporté tant de fois du gibier, il ordonna à ses gardes qu'on allât vite au secours de M. le marquis de Carabas.

Pendant qu'on retirait le pauvre marquis de la rivière, le Chat, s'approchant du carrosse, dit au roi que, dans le temps que son maître se baignait, il était venu des voleurs qui avaient emporté ses habits, quoiqu'il eût crié au voleur de toute sa force. Le drôle les avait cachés sous une grosse pierre.

Le roi ordonna aussitôt aux officiers de sa garde-robe d'aller quérir un de ses plus beaux habits pour M. le marquis de Carabas. Le roi lui fit mille caresses ; et, comme les beaux habits qu'on venait de lui donner relevaient sa bonne mine (car il était beau et bien fait de sa personne), la fille du roi le trouva fort à son gré ; et le marquis de Carabas ne lui eut pas plus tôt jeté deux ou trois regards fort respectueux et un peu tendres qu'elle en devint amoureuse à la folie. Le roi voulut qu'il montât dans son carrosse et qu'il fût de la promenade.

Le Chat, ravi de voir que son dessein commençait à réussir, prit les devants ; et ayant rencontré des paysans qui fauchaient un pré, il leur dit :

– Bonnes gens qui fauchez, si vous ne dites au roi que le pré que vous fauchez appartient à M. le marquis de Carabas, vous serez tous hachés menu comme chair à pâte.

Le roi ne manqua pas à demander aux faucheurs à qui appartenait ce pré qu'ils fauchaient.
– C'est à M. le marquis de Carabas, dirent-ils tous ensemble, car la menace du Chat leur avait fait peur.
– Vous avez là un bel héritage, dit le roi au marquis de Carabas.
– Vous voyez, sire, répondit le marquis ; c'est un pré qui ne manque point de rapporter abondamment toutes les années.
Le maître Chat, qui allait toujours devant, rencontra des moissonneurs et leur dit :
– Bonnes gens qui moissonnez, si vous ne dites pas que tous ces blés appartiennent à M. le marquis de Carabas, vous serez tous hachés menu comme chair à pâté.
Le roi, qui passa un moment après, voulut savoir à qui appartenaient tous les blés qu'il voyait.
– C'est à M. le marquis de Carabas, répondirent les moissonneurs.
Et le roi s'en réjouit avec le marquis.

Le Chat, qui allait toujours devant le carrosse, disait toujours la même chose à tous ceux qu'il rencontrait et le roi était étonné des grands biens de M. le marquis de Carabas.

Le maître Chat arriva enfin dans un beau château dont le maître était un Ogre, le plus riche qu'on eût jamais vu : car toutes les terres par où le roi avait passé étaient de la dépendance de ce château.

Le chat eut soin de s'informer qui était cet Ogre, et ce qu'il savait faire, et demanda à lui parler, disant qu'il n'avait pas voulu passer si près de son château sans avoir l'honneur de lui faire la révérence.
L'Ogre le reçut aussi civilement que le peut un Ogre, et le fit se reposer.
– On m'a assuré, dit le Chat, que vous aviez le don de vous changer en toute sorte d'animaux ; que vous pouviez, par exemple, vous transformer en lion, en éléphant.

– Cela est vrai, répondit l'Ogre brusquement, et, pour vous le montrer, vous m'allez voir devenir un lion.
Le Chat fut si effrayé de voir un lion devant lui qu'il gagna aussitôt les gouttières, non sans peine et sans péril, à cause de ses bottes, qui ne valaient rien pour marcher sur les tuiles.

Quelque temps après, le Chat, ayant vu que l'Ogre avait quitté sa première forme, descendit et avoua qu'il avait eu bien peur.
– On m'a assuré encore, dit le Chat, mais je ne saurais le croire, que vous aviez aussi le pouvoir de prendre la forme des plus petits animaux, par exemple, de vous changer en un rat, en une souris : je vous avoue que je tiens cela tout à fait impossible.

– Impossible ! reprit l'Ogre, vous allez voir. Et en même temps il se changea en une souris, qui se mit à courir sur le plancher.

Le Chat ne l'eut pas plus tôt aperçue qu'il se jeta dessus et la mangea. Cependant le roi, qui vit en passant le beau château de l'Ogre, voulut entrer dedans.

Le Chat, qui entendit le bruit du carrosse
qui passait sur le pont-levis du château,
courut au-devant et dit au roi :
– Votre Majesté soit la bienvenue dans
ce château de M. le marquis de Carabas !
– Comment ! Monsieur le marquis,
s'écria le roi, ce château est encore à vous ?
Il ne se peut rien de plus beau que cette cour
et que tous ces bâtiments qui l'environnent :
voyons le dedans, s'il vous plaît.
Le marquis donna la main à la jeune princesse
et, suivant le roi qui montait le premier,
ils entrèrent dans une grande salle,
où ils trouvèrent une magnifique collation
que l'Ogre avait fait préparer pour ses amis,
qui le devaient venir voir ce jour-là,
mais qui n'avaient pas osé entrer,
sachant que le roi y était.

Le roi, charmé des bonnes qualités
de M. le marquis de Carabas, de même
que sa fille qui en était folle, et voyant
les grands biens qu'il possédait, lui dit,
après avoir bu cinq ou six coupes :
– Il ne tiendra qu'à vous, Monsieur le marquis,
que vous ne soyez mon gendre.
Le marquis, faisant de grandes révérences,
accepta l'honneur que lui faisait le roi ;
et dès le jour même il épousa la princesse.

Le Chat devint grand seigneur, et ne courut
plus après les souris que pour se divertir.

Je ne suis pas un lapin !

Martine Guillet, illustrations de Maria Sole Macchia

Aujourd'hui, toute la famille se réunit
à la maison : Papi, Mamie, et aussi Tonton
et Tante Lise. Les invités sont arrivés
et Nicolas est fou de joie.
Mamie prend Nicolas dans ses bras,
et lui dit tendrement :
– Viens me faire un câlin, mon gros lapin !
Nicolas ne peut le croire.
Lui ! Un lapin ! Avec de grandes oreilles
et une petite queue !
Ah, ça non ! Mamie doit se tromper.
Et puis Nicolas n'aime pas les carottes !
Mamie en a de drôles d'idées !
– Je ne suis pas un lapin ! répond Nicolas.
Je suis un grand garçon !
Et il se sauve.
– Ne te sauve pas comme ça ! dit Papi
en riant. Viens me dire ce que tu fais
à l'école, mon poussin !

Alors là, Nicolas n'est pas content.
Lui ! Un poussin ! Tout petit avec des plumes
jaunes ! Est-ce qu'il a un bec et des ailes ?
Ah, ça non : Papi doit rêver !
– Je ne suis pas un poussin ! répond Nicolas,
je suis un grand garçon !
Puis Nicolas ne dit plus rien,
il part bouder dans son coin.

Mais Tante Lise l'attrape dans ses bras.
– Reste avec nous ! dit-elle en lui faisant
de gros bisous sur la joue. Si tu veux,
on va jouer aux dominos, mon chaton !
Alors là, Nicolas n'est vraiment
pas content du tout.
Lui ! Un chaton ! Avec une longue queue
et des poils partout ! Est-ce qu'il a aussi
une moustache ?
Ah, ça non ! Tante Lise n'a pas bien regardé !
– Je ne suis pas un chaton ! répond Nicolas,
je suis un grand garçon !
Et Nicolas s'en va.

Heureusement, Maman arrive au salon.
Elle lui sourit... alors Nicolas oublie
tous ses soucis.
Maman, elle, elle sait reconnaître son grand garçon ! Elle, au moins, elle ne dit pas n'importe quoi !
– Si tu veux, tu peux venir m'aider !
lui propose Maman, on va servir les invités, mon biquet !
Cette fois, Nicolas est vraiment fâché.
Lui ! Un biquet ! Avec une barbichette
et deux petites cornes !
Ah, ça non ! Maman dit n'importe quoi !
– Je ne suis pas un biquet ! répond Nicolas en colère, je suis un grand garçon !
Et il se sauve dans la salle de bains.
Il se regarde dans le miroir.
Et qu'est-ce qu'il voit ?
... un biquet ? Non !
... un chaton ? Non plus !
... un poussin ? Et non !
... un lapin ? Eh bien non !
Dans le miroir, il y a seulement... Nicolas !
Nicolas ferme les yeux et les ouvre
tout de suite...
C'est lui, c'est bien lui, Nicolas ! Le nez, la bouche, la mèche de cheveux qui se relève sur la tête : il reconnaît tout ! Vraiment tout !
Ouf ! Nicolas est rassuré. Il sourit.
Et le miroir lui sourit aussi !
Déjà, tout le monde va passer à table.
Les grandes personnes s'installent.
– On va manger ! Viens vite, mon petit loup !
crie Papa.
Nicolas court au salon. Il est très en colère.
Il fronce les sourcils, il roule des yeux,
il serre les dents.
Il n'est pas un lapin, ni un poussin,
encore moins un chaton ou un biquet !
Et surtout pas un loup !
– Non ! non ! crie Nicolas avec force.
Vous dites vraiment n'importe quoi !
Je suis un grand garçon ! Je m'appelle
Nicolas, et puis c'est tout !

Les petites lumières de la nuit

Kochka, illustrations de Freddy Dermidjian

C'est le soir autour des fenêtres
de la maison de Guillaume.
Dehors, les belles couleurs disparaissent.
Quand l'arbre du jardin n'est plus vert,
et que la pivoine n'est plus rouge, Guillaume
sait que sa journée est presque terminée.
D'ailleurs, il a fini son dîner ; il a pris son bon
bain chaud ; il a brossé ses dents...
Et il a mis son pyjama doux et bleu.

Mais Guillaume n'aime pas
quand il faut aller dormir.
Alors...
– Va-t'en le noir ! dit-il en envoyant
ses mains comme un petit magicien.

Puis en chaussons, il se faufile
dans toutes les pièces de la maison,
et il allume tout partout !

Pendant ce temps, Papa et Maman sont assis
et ils discutent au salon.
« Je n'ai pas sommeil, pense Guillaume.
Il ne faut pas qu'ils m'entendent... »
Et il ne fait pas de bruit.
Hélas, la voix de Maman arrive jusqu'à
ses oreilles. Elle crie :
– C'est bientôt l'heure, Petit Guismo !

Mais Guillaume ne répond pas.
Pourtant, Petit Guismo, c'est bien lui.
Sa maman l'appelle comme ça.
Puis, la voix de Papa jaillit :
– On te parle, Guignolo ! C'est bientôt l'heure !

Mais Guillaume se tait encore.
Pourtant, Guignolo, c'est bien lui.
Son papa l'appelle comme ça.
Maman se lève et elle vient voir.
– Qu'est-ce que tu fais Petit Guismo ?

Maman regarde dans le placard,
et elle se penche sous le lit.
Mais, Petit Guismo n'est nulle part.

Maman va voir derrière le rideau, et *hop !*
elle attrape Petit Guismo, qui essaie
de s'enfuir comme un affreux chenapan !
– Ça y est, c'est l'heure mon oiseau.
– Non, supplie Petit Guismo, encore un peu
s'il te plaît.
– D'accord, répond Maman,
mais tu as seulement cinq minutes.

– Bon, dit Petit Guismo, alors vite vite, je vais jouer aux Lego !
– Non, répond Maman. Ce n'est plus l'heure des constructions ; la chambre est très bien rangée.

– Bon, dit Petit Guismo, alors vite vite, je vais faire un combat de chevaliers dans mon château !
– Non, répond Maman. Ce n'est plus l'heure des combats ; les chevaliers sont endormis.

– Bon, dit Petit Guismo. Alors Maman, c'est l'heure de quoi ?
Maman se penche en souriant.
– C'est l'heure de mettre la maison en sommeil, Petit Guismo. Est-ce que tu veux bien qu'on éteigne les lumières que tu as allumées partout ?
– D'accord, répond Petit Guismo.

Et Maman et Petit Guismo commencent le tour de la maison.
D'abord, Petit Guismo éteint la salle de bains.
– Bonne nuit petite baignoire qui lave les corps et les pieds.

Puis Petit Guismo éteint le cagibi.
– Bonne nuit aspirateur grosse trompe qui adore manger la poussière.
Puis Petit Guismo éteint la cuisine.
– Bonne nuit Frigidaire, où il fait froid comme en hiver.

Puis Petit Guismo éteint la chambre de Papa et Maman.
– Bonne nuit grand lit de Papa et Maman, où je viens le dimanche matin !

Puis Petit Guismo se couche dans son lit, et Maman éteint la lumière.
– Bonne nuit mon Petit Guismo, dans ton petit lit tout chaud.

Puis, Papa arrive à son tour, et il ouvre un bout du rideau.
– Dors bien Petit Guignolo. Les lumières du ciel sont allumées tout en haut.

La flûte prodigieuse

Agnès Bertron-Martin, illustrations d'Éric Puybaret

Shanti est potier. Il vit en Inde, au bord du fleuve Sarasvati. Ce matin, à la cuisson, tous ses pots et ses vases se sont fendus.
Shanti s'écrie :
– Catastrophe, mon travail est fichu ! Je n'aurai rien à vendre au marché.
De rage, il lance ses poteries dans le fleuve. Et les poteries tombent dans l'eau en faisant des vagues.

Ananda, le joueur de flûte, passe sur une barque juste à ce moment-là. Les vagues le font tanguer et *plouf !* Ananda tombe à l'eau. Ananda ne pense qu'à sauver sa flûte.
Mais le fleuve coule si fort que la flûte est emportée, et Ananda aussi :
– Au secours, je me noie ! crie Ananda.

Shanti plonge aussitôt et il ramène le joueur de flûte sur la berge.
– Ma flûte, se lamente Ananda, jamais je n'en retrouverai une comme ça ! Elle était légère comme une plume et ses notes s'envolaient jusqu'au ciel.
Shanti promet :
– C'est à cause de moi que tu as perdu ta flûte, je vais t'en fabriquer une nouvelle encore plus belle.

Et il se met au travail avec tant d'ardeur et de bonté que l'Oiseau de l'Aurore, cet oiseau magicien qui n'apparaît que rarement, décide d'aider le potier. Il passe au-dessus des mains de Shanti au moment où celui-ci prend une boule de terre et il y laisse tomber une graine de soleil sans que Shanti ne se rende compte de rien.

À la fin du jour, c'est une flûte en forme d'oiseau que Shanti offre à Ananda, mais cet oiseau est si parfait qu'on dirait qu'il est vivant !

Dès qu'il souffle dans la flûte, Ananda comprend qu'elle est magique parce que la mélodie qu'il joue, il ne l'a jamais apprise !

C'est une mélodie qui ressemble au chant de l'oiseau de l'aurore...
Shanti, lui, se sent ensorcelé de joie et de courage par cette musique : ses doigts n'ont jamais été aussi agiles !
Il fabrique à nouveau des vases et des pots, mais tous ont des formes d'oiseaux, des oiseaux délicats comme de la soie.
Shanti et Ananda n'ont plus envie de se quitter. Ils sont devenus amis.
Demain, ils iront ensemble au marché vendre les poteries.

Au lever du soleil, Ananda et Shanti partent pour le marché.
Et sur la route, chaque fois qu'Ananda joue de la flûte, il se produit de la magie.

Les deux amis croisent des enfants qui se disputent. Dès qu'ils entendent la flûte, les enfants se mettent à rire et se jettent dans les bras l'un de l'autre, réconciliés.

Le pont de bois qui enjambe la rivière a été emporté par le courant, mais les deux amis n'ont pas besoin de se mouiller. Shanti joue de la flûte et des vaches sacrées qui dormaient paisiblement dans un champ viennent se coucher dans l'eau, bien alignées, pour que les deux amis puissent traverser en marchant sur leurs dos.

Non loin de la ville, un arbre s'est effondré en travers du chemin, mais les deux amis n'ont pas besoin de l'escalader. Shanti joue de la flûte et l'arbre se redresse.

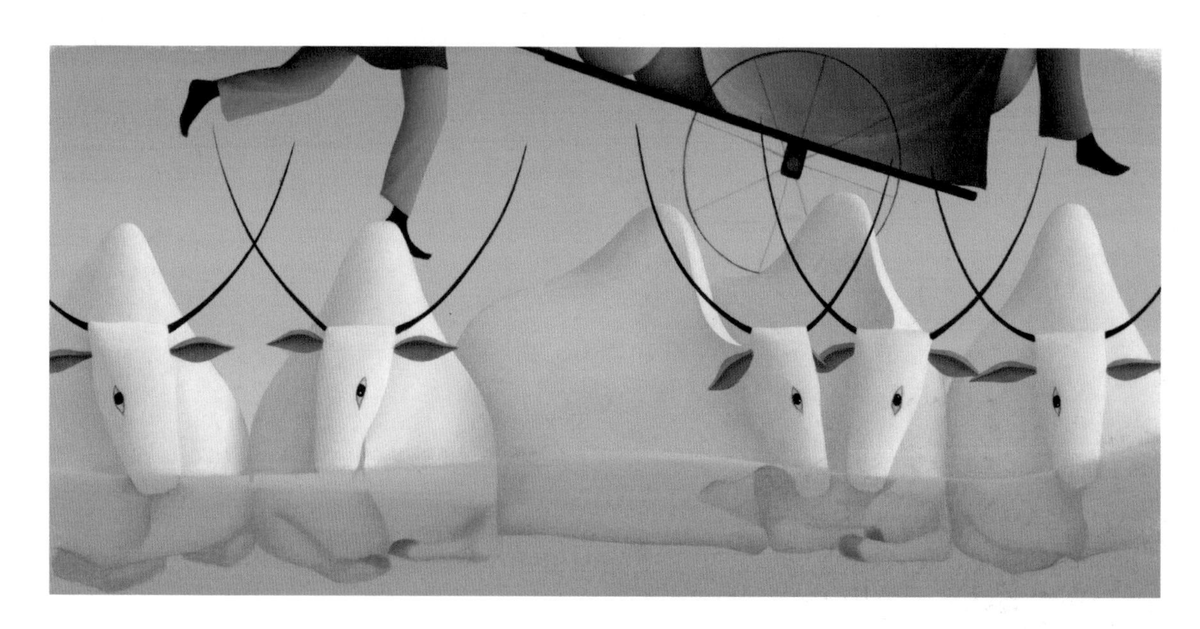

Un homme a vu ces prodiges.
Il s'approche des deux amis :
– Quelle belle flûte, vous avez là. Est-ce que je peux la voir de plus près ?
Ananda et Shanti sont fiers de montrer leur instrument. Mais à peine l'homme a-t-il la flûte dans les mains qu'il se sauve en courant.
– Voleur ! Rends-moi ma flûte, crie Shanti.

Shanti et Ananda courent derrière l'homme, mais Shanti a peur de casser ses poteries.
Il dit à Ananda :
– Vas-y, toi ! Je te rejoindrai.

L'homme est entré dans la ville.

Il reprend son souffle au pied d'une statue, qui se dresse au centre de la place.
Il se réjouit :
« Avec cette flûte, je vais ensorceler les marchands, et ils me donneront tout ce que je veux ! »
Il se précipite devant un étalage de beignets.
Il souffle dans la flûte. Mais le son qui sort est si strident que tous se bouchent les oreilles.

À ce moment-là, la statue se met à vibrer.
Elle devient vivante. Les trois énormes serpents de pierre qui étaient figés depuis des années, se mettent à ramper et siffler.
Ils encerclent l'homme.
Il est paralysé par la peur.

Voilà Ananda qui arrive en courant pour reprendre sa flûte. Le voleur l'attrape par le bras, il le jette au milieu des serpents. Et il s'enfuit.
Ananda se débat :
– Au secours !

Shanti vient d'arriver. Il entend les cris de son ami. Il le voit au milieu des serpents. Il le supplie :
– Tiens bon, Ananda, je vais te sortir de là !
Si seulement je pouvais souffler dans la flûte...

Mais Shanti a beau regarder autour de lui, pas de flûte ! Alors, il se met à chanter la mélodie qu'il a entendu Ananda jouer, cette mélodie qui ressemble tant au chant de l'Oiseau de l'Aurore...
Aussitôt, le sac de Shanti se met à bouger. Tous les oiseaux de terre s'en échappent en battant des ailes. Ils foncent piquer de leurs becs les serpents.
Alors, les serpents lâchent Ananda et ils disparaissent dans la forêt.

Shanti et Ananda se jettent dans les bras l'un de l'autre. Bientôt, tous les Indiens viennent les remercier :
– Regardez, sous les serpents de pierre, il y avait un trésor ! Nous allons nous partager l'or et les rubis !
– Non merci, dit Shanti. Nous ne voulons pas d'or.
– Non merci, dit Ananda tristement, nous ne voulons pas de rubis. Cela ne remplacera pas notre flûte perdue !

Mais soudain, les oiseaux reviennent. Ils déposent dans les mains de Shanti et d'Ananda, les morceaux de la flûte que le voleur avait cassée dans sa fuite, les morceaux qu'ils ont retrouvés !

Alors, les deux amis approchent leurs mains l'une de l'autre, et aussitôt, les morceaux se mettent en ordre tout seuls et ils se recollent.

La flûte est là, à nouveau, comme si jamais personne ne l'avait brisée.
Oh, non Shanti ne veut pas d'or.
Oh, non, Ananda ne veut pas de rubis.
Ils ont bien mieux que ça, ces deux-là !

Quand Coulicoco dort

Raconté par Paul François sur un thème de Pierre Chaplet,
illustrations de Kersti Chaplet

Il fait si chaud, Coulicoco a tant joué,
tant couru, tant mangé, qu'il s'est couché
dans son hamac après le déjeuner
et qu'il s'est endormi à l'ombre des figuiers.

Quand Coulicoco dort, il ne faut
pas le réveiller.
Car si quelqu'un le réveillait, nul ne sait
ce qu'il pourrait arriver.

Sa maman fait la lessive.
Son papa va vendre des melons au marché.
Nul ne songe à réveiller Coulicoco.

Une mouche pourtant bourdonne à son
oreille, des cochons grattent, reniflent et
grognent, mais rien ne réveille Coulicoco.
Soixante-quatorze fourmis font l'escalade
du figuier pendant que dort Coulicoco.

Très loin, près du grand fleuve,
seize hippopotames vont se baigner
pendant que dort Coulicoco.

Plus loin, plus loin encore, dans la mer
immense, vont et viennent mille et mille
poissons pendant que dort Coulicoco.

Coulicoco a dormi longtemps,
très longtemps, puis, il s'est levé tout seul...
et il s'en va vers le village.

Et si quelqu'un l'avait réveillé,
que serait-il arrivé ?
Sa maman n'aurait peut-être pas fini sa lessive.
La mouche n'aurait pas volé si près de lui.
Les cochons se seraient sauvés...
Les fourmis n'auraient peut-être pas osé
grimper sur le figuier.

Mais, cela n'aurait pas empêché
les hippopotames de se baigner dans le fleuve
ni les poissons de nager dans la mer,
ni la terre de tourner autour du soleil,
ni les alouettes de chanter dans le ciel,
ni les enfants de jouer à l'ombre des maisons.

Et quand Coulicoco arrive à la maison,
son papa est rentré du marché, sa maman
prépare le goûter. Coulicoco aura encore
le temps de s'amuser avec les enfants
du village et de rire jusqu'au dîner.

Le dragon de Cracovie

Raconté par Albena Ivanovitch-Lair
avec la contribution d'Annie Caldirac d'après un conte polonais,
illustrations de Gwen Keraval

Au bord de la rivière Wisla, en Pologne,
sur le flanc d'une haute montagne,
s'ouvre une grotte profonde et obscure.
On dit qu'autrefois cette grotte était habitée
par le plus fort et le plus terrible des dragons.
Un dragon énorme à l'appétit vorace,
qui ne dédaignait aucune nourriture,
ni les poules, ni les brebis, ni les chevaux,
ni même les hommes.
Le jour, l'horrible bête semait la terreur
dans les champs et dans les rues.
La nuit, ses ronflements faisaient trembler
la montagne et empêchaient de dormir
les habitants du voisinage.
Tous, hommes et animaux, vivaient
dans la crainte et l'effroi.

La tristesse et le malheur avaient envahi
les cœurs.
Les habitants, qui n'en pouvaient plus,
allèrent trouver leur roi.
– Ce dragon nous terrorise, se plaignirent
les paysans. Nous n'osons plus aller travailler
dans nos champs,
– Nos troupeaux sont massacrés, reprirent
les bergers. Nos chiens sont impuissants
devant ce monstre. Il faut absolument
le tuer !
– Nous ne pouvons pas laisser nos enfants
jouer dehors, se lamentèrent les mères.
Ils n'arrêtent pas de pleurer. Aidez-nous !

Le roi les écouta tous attentivement, hocha la tête, puis annonça solennellement :
– Le temps est venu d'aller combattre le dragon. Je promets une splendide récompense à celui qui réussira à débarrasser le pays de ce cracheur de feu.

Un noble chevalier s'avança et se déclara prêt à combattre la bête. Il revêtit son armure la plus solide, prit sa lance la plus longue et enfourcha son cheval le plus rapide.
Il n'était même pas arrivé au sommet de la montagne que le dragon souffla un jet de flammes sur le courageux jeune homme qui roula au fond d'un gouffre.

Tour à tour, les hommes les plus valeureux du royaume affrontèrent en vain la bête horrible.
Aucune arme ne réussit à l'atteindre : les flèches glissaient sur sa peau, les épées se tordaient, les lances se cassaient comme des allumettes entre ses dents !
Beaucoup des guerriers perdirent la vie.

Les habitants commençaient à désespérer quand un matin, un jeune berger prénommé Crac demanda audience au roi.

Les courtisans, stupéfaits, virent s'avancer vers le trône un jeune garçon pauvrement vêtu.
Lorsque Crac expliqua au roi qu'il voulait combattre le dragon, tous éclatèrent de rire.
– Comment ose-t-il prétendre réussir là où tant d'hommes courageux ont échoué ?
– Où sont ses armes, son casque ?
Où est son cheval ?
– Sire, dit le jeune berger sans se démonter, faites-moi confiance, vous ne le regretterez pas.
– Laissons-lui tenter sa chance, décida le roi. S'il parvient à nous débarrasser du dragon, je lui donnerai la main de la princesse, ma fille.

Le jeune Crac s'inclina profondément devant le roi et sortit.

Rentré dans sa cabane, Crac prit des braises chaudes dans l'âtre et la peau d'un mouton qui venait de mourir, puis il se dirigea vers la montagne.

Arrivé devant la grotte du dragon, il sortit la peau de mouton de son sac et y fourra les braises encore fumantes. Vite il déposa le mouton à l'entrée et alla se cacher dans les buissons.

Le dragon ne tarda pas à se réveiller. Tenaillé par une énorme faim, il sortit de sa grotte avec un terrible grognement. Dès qu'il vit le mouton, il se jeta sur lui et l'avala d'une bouchée. Mais aussitôt une terrible douleur lui brûla le ventre. Hurlant, soufflant et crachant, le dragon se précipita vers la rivière. Ouvrant grande sa gueule, il but sans s'arrêter pendant des heures, dans l'espoir d'éteindre l'incendie qui lui dévorait les entrailles.

Toute l'eau qu'il avait engloutie, chauffée par les braises ardentes, se mit à bouillir. La vapeur lui dilata le ventre qui, avec un énorme bang, éclata comme un ballon !

Alors Crac le jeune berger sortit de sa cachette et appela les habitants de la ville. Hommes, femmes et enfants acclamèrent le jeune berger, l'aidèrent à tirer la dépouille du dragon hors de l'eau et dansèrent autour une joyeuse farandole.

Le roi vint féliciter Crac pour son intelligence et son courage, et comme promis, lui accorda la main de sa fille.

C'est ainsi que Crac le jeune berger débarrassa le pays du dragon et épousa la fille du roi. Quelques années plus tard, il devint roi à son tour. Il n'oublia pas les malheurs qu'avait causés le dragon et, pour mettre pour toujours ses sujets à l'abri, il entoura la ville de puissantes murailles.
Et c'est ainsi qu'au bord de la rivière Wisla, en Pologne, se dresse aujourd'hui une superbe cité aux remparts solides.

Elle porte le nom de Cracovie en souvenir du jeune Crac qui sauva ses habitants.

Le petit loup qui se prenait pour un grand

Raconté par Albena Ivanovitch-Lair avec la contribution de Mario Urbanet d'après de la tradition bulgare, illustrations d'Éric Gasté

Un jeune loup affamé marchait dans la campagne à la recherche d'une proie à dévorer. Tout à coup, il aperçut un cheval qui broutait l'herbe du fossé.
L'œil du petit loup s'alluma de contentement. « Enfin, je vais pouvoir me remplir le ventre », se dit-il. Et il passa une langue gourmande sur ses babines.

La mine conquérante, le petit loup s'approcha du cheval et dit :
– Je meurs de faim et c'est toi que je vais dévorer. Il faut bien que je mange pour vivre !
Le vieux cheval répondit calmement :
– Tu as raison, mange-moi, c'est la loi de la nature ! Mais je t'en prie, fais-le dans les règles.

Le petit loup, prêt à bondir, s'arrêta net :
– Quelles règles ?
– Ton père ne t'a donc rien appris ? Lui sait qu'avant de manger un cheval, il faut lui enlever les sabots. C'est la tradition, et comme ça, il est plus facile à digérer.
– Et comment je ferai pour enlever tes sabots ?
– Ce que tu peux être ignorant, mon pauvre ami ! Tu te places derrière moi et tu enlèves mes sabots arrière, puis tu fais pareil pour ceux de devant. La tradition respectée, tu pourras me manger.

Sans réfléchir une seconde, le petit loup se plaça derrière le cheval.
Il s'apprêtait à attraper l'une de ses jambes quand celui-ci, d'une formidable ruade, lui envoya ses deux sabots en plein museau.

Le petit loup hurla et se retrouva projeté en l'air… avant de retomber sur le sol vingt mètres plus loin complètement assommé.
Lorsqu'il retrouva ses esprits, il avait une énorme bosse au front et une terrible douleur à la mâchoire.
Quant au cheval bien sûr, il n'avait pas attendu son réveil !

Le petit loup alla à la rivière pour mettre de l'eau fraîche sur sa bosse et calmer la douleur.

Deux moutons arrivèrent au même moment et se mirent à boire avidement.
« Le cheval m'a échappé, mais ces moutons, je les aurai. » se dit le petit loup qui avait de plus en plus faim.

Il leur cria :
– Oh là ! Vous deux ! Vous buvez l'eau de ma rivière, c'est une faute grave. Pour vous punir, je dois vous manger !

Les moutons examinèrent le petit loup, et échangèrent un regard sans rien dire.
– D'accord, dit le plus âgé. Nous sommes coupables et tu dois nous manger ! Mais avant, il te faut choisir celui que tu mangeras le premier.
– À quoi bon ? De toute façon je vous mangerai tous les deux.
– Pas question ! s'exclama le deuxième mouton. Tu dois nous manger dans les règles.
– Quelles règles ?
– Ce que tu peux être ignorant ! Ton père ne t'a vraiment rien appris ! Lui sait choisir celui qu'il doit manger en premier. Assieds-toi au bord de l'eau, et nous, nous allons reculer de cent pas. Après tu donneras le signal et nous courrons vers toi. Le dernier arrivé sera le premier mangé. C'est la tradition et en plus c'est amusant.

Sans se poser plus de question, le petit loup s'assit sur la berge, le dos à la rivière. Les moutons s'éloignèrent de cent pas puis s'arrêtèrent.
Le petit loup tout content leur cria :
– Attention ! Prêts ! Partez !
Les deux moutons prirent leur élan, se précipitèrent sur le loup, et le frappèrent de toutes leurs forces.

Le petit loup culbuta dans l'eau.
À cet endroit, la rivière était profonde et il faillit se noyer dans les remous.
Après bien des efforts, il réussit à se hisser sur la rive. Il était trempé jusqu'aux os et son estomac criait famine.
Mais les moutons avaient filé depuis longtemps...

Frissonnant de froid et de faim le petit loup reprit sa route. C'est alors qu'il aperçut un âne dans un champ de blé.
« Le cheval et les moutons ont été plus malins que moi, se dit-il. Mais cet âne ne m'échappera pas. Il va voir de quoi je suis capable. »
– Tu es en train de manger le blé des hommes ! Pour te punir, je vais te dévorer ! annonça le petit loup.
L'âne, d'abord, prit peur, mais remarquant la jeunesse de son agresseur, il se dit qu'il arriverait à s'en débarrasser.

Le petit loup s'apprêtait à bondir quand l'âne s'exclama :

– Enfin te voilà ! Mon maître te cherche partout. Il veut faire de toi le témoin de son fils à son mariage. Monte sur mon dos, nous avons juste le temps d'arriver à l'heure à la cérémonie.
– Je ne comprends rien à ce que tu dis, s'étonna le petit loup, tu veux m'embrouiller.
– Mais d'où sors-tu pour être si ignorant ? Tu n'as donc jamais écouté ton père ! Ne sais-tu pas que chez les hommes, cela porte bonheur d'avoir un loup comme témoin du marié ? C'est la tradition et en plus la cérémonie est suivie d'un festin. Tu n'auras jamais assez d'appétit pour avaler tous les plats succulents qu'on te servira, crois-moi. Allez, monte sur mon dos !

Sans réfléchir davantage, le petit loup,
alléché à l'idée de cet énorme festin,
monta sur le dos de l'âne qui prit le trot
en direction du village.
Un paysan aperçut de loin l'étrange équipage
et dévala à toutes jambes la colline en hurlant
« Au loup ! » de toutes ses forces.
À ces cris, les villageois s'armèrent de faux,
de fourches et de solides bâtons,
prêts à recevoir le loup comme il se doit.

Quand l'âne arriva à l'entrée du village,
le petit loup aperçut la foule rassemblée
et prit peur.
– Fais demi-tour, vite ! cria-t-il à l'âne.
Ils vont nous réduire en bouillie !

Sans ralentir son allure, l'âne le rassura :
– Ne crains rien, gros bêta, ils sont là pour t'accueillir avec les honneurs dus à un témoin de mariage, c'est la tradition.

Deux secondes plus tard, sans crier gare, l'âne s'arrêta brusquement et précipita à terre son cavalier. Le petit loup faillit se rompre tête et pattes. Il n'eut pas le temps de se relever que déjà les villageois le rouaient de coups.

Hurlant de douleur, le petit loup eut bien du mal à leur échapper, tandis que l'âne savourait tranquillement sa victoire.

Le petit loup courut à en perdre le souffle jusqu'à à sa tanière.
Une fois couché, il se demanda pourquoi il avait écouté le cheval, les moutons et l'âne. Tous l'avaient grossièrement trompé.
« Je dois apprendre à réfléchir ! » se dit-il.
Et sur cette bonne résolution, il s'endormit.
Il avait presque oublié sa faim car ne dit-on pas : Qui dort dîne ?

Le petit carnet d'Archibald

Anne-Marie Chapouton, illustrations de Pierre Caillou

Petit Jean s'en va vendre ses choux
au marché. En chemin, il soupire :
– Peste de choux, qu'ils sont lourds !
Et voilà qu'il aperçoit quelque chose
sur le bord de la route. Il s'arrête.

C'est un petit carnet. Il le ramasse,
il l'ouvre, et il lit :
*Ce petit carnet vous est prêté par l'enchanteur
Archibald. Profitez-en !
Pour toute commande, prière d'écrire
lisiblement et de ne faire qu'un seul
souhait par page.*

Petit Jean prend le crayon attaché sur le côté.
– ***Taraboum olé olé !*** Je m'en vais faire
un petit souhait.

Et il écrit avec soin :
Que mon sac de choux soit léger, léger.
Merveille ! Ça y est !
Maintenant, le sac est léger comme une plume.
Seulement, en arrivant au marché, Petit Jean
est bien ennuyé : les choux sont si légers
qu'ils ne pèsent presque rien, et les gens
ne veulent pas les payer.

Alors Petit Jean, s'en retourne tristement.
En chemin, il s'arrête, ouvre le carnet et écrit :
Que mon porte-monnaie soit bourré de beaux billets.

Merveille ! Ça y est !
Petit Jean sort sa fortune et l'étale sur
l'herbe. Il danse devant, tout content.

Mais, ***zou !*** Voilà le vent. Un, deux, trois, c'est fait ! Tous les billets se sont envolés. Petit Jean court derrière, mais les voilà déjà en train de flotter sur la mer.

Alors Petit Jean ouvre le carnet
et écrit très vite :
Que je sois en bateau, pour les rattraper.

Merveille ! Ça y est !
Petit Jean rame, rame, rame...
Il arrive, il approche, mais les billets mouillés tombent un à un, lentement au fond de l'eau.

Et petit Jean écrit de nouveau :
Que je sois un poisson pour aller les chercher.

Merveille ! Ça y est !
Petit Jean-Poisson plonge. Mais les billets ont disparu. Et quelque chose accroche Petit Jean-Poisson.

Oh ! malheur ! Le voilà pris au filet, tiré, tiré, tiré... et jeté sur le pont d'un bateau.
– Non, non, crie Petit Jean au pêcheur. Je ne suis pas un poisson. Je suis Petit Jean et je vends des choux au marché.

– Misère, répond le pêcheur. Un poisson qui parle. Ça me portera malheur...
Et il le rejette à la mer.

Pauvre Petit Jean-Poisson qui tourne en rond avec ses nageoires au fond, tout au fond de la mer.

Mais l'enchanteur Archibald qui fait toujours un peu exprès de perdre son petit carnet vient de le retrouver sur la plage au bord de l'eau.
Quand il a lu toutes les pages écrites par Petit Jean, il écrit à son tour :
Que le poisson redevienne ce qu'il était avant.

Et c'est ainsi que Petit Jean se retrouve sur le chemin du marché, avec un gros sac de choux sur le dos. Il se dit :
« Quel drôle de rêve j'ai fait... »

Et il continue son chemin en chantant, parce qu'il est content d'aller vendre ses choux au marché.

Espèce de petit monstre

Odile Hellmann-Hurpoil, illustrations de Didier Balicevic

Simon, le petit dernier de la famille, en a assez. À la maison, tout le monde le surnomme « petit monstre ».
Dès le matin, Maman lui dit :
– Tu as encore fait des taches de chocolat sur ton pyjama, Simon. Tu pourrais faire attention, espèce de petit monstre !
Puis Papa, ses clés de voiture à la main, s'impatiente :
– Es-tu prêt pour l'école, petit monstre ?

Et le soir, ça continue : Théo, son frère aîné, et Julie, sa grande sœur, n'arrêtent pas de traiter Simon d'« espèce de petit monstre ».

Il s'approche de Julie. Elle crie :
– Maman, l'espèce de petit monstre veut gribouiller sur mes cahiers ! Dis-lui de me laisser !

Il entre dans la chambre de Théo qui hurle :
– Va-t'en, espèce de petit monstre, tu vas casser mes maquettes !
Et Théo repousse Simon tandis que Julie lui dit tout bas :
– Tu seras privé de dessert, petit monstre casse-pattes !

Alors, ce soir-là, Simon est très malheureux :
« Comme c'est triste d'être le petit monstre de la famille ! »
Il court dans la chambre de ses parents et s'arrête devant l'armoire à glace.
Mais il n'ose pas se regarder dans le miroir.
Que va-t-il y voir ? Un gros pou noir à tête de cachalot, aux oreilles d'éléphant, aux cornes de rhinocéros et aux pattes de crapaud ?

C'est alors que Maman appelle :
– À table, tout le monde !
Ce soir, il y a de la pizza et de la mousse au chocolat ! Tout ce que Simon adore !
Il éclate en sanglots.
« Un petit monstre comme moi n'aura pas le droit à la pizza, encore moins à la mousse au chocolat. Je mangerai les restes ! »

Il entend alors Papa s'exclamer :
– Où est donc passé Simon ? Jamais à l'heure, ce petit monstre !
C'en est trop ! Simon ravale ses larmes et serre les poings.

Ah ! Ils vont voir ce qu'ils vont voir : un monstre, oui. Et un vrai de vrai !
Il se barbouille les joues et le menton avec la mousse à raser de Papa.
Il se peinturlure le nez, les oreilles et le front avec le rouge à lèvres de Maman.
Il enduit ses cheveux de cirage noir et les dresse en piquants avec le gel de Théo.
Il met aussi ses dents de vampire et son collier en griffes de dragon.
Puis il s'enferme dans les toilettes.

Là, il dévide trois rouleaux de papier
et s'entortille dedans. Et maintenant,
Simon le monstre ne bouge plus.
Mais il entend Maman parcourir la maison
en appelant :
– Simon, mon ange, où es-tu ?
Viens vite dîner !
Il entend Papa fouiller le garage, le jardin,
en suppliant :
– Simon, mon chéri, sors de ta cachette,
on s'inquiète !
Il entend Julie et Théo se disputer.
– Espèce de chipie, c'est ta faute si notre
petit frère a disparu. Tu lui as encore dit
des méchancetés !
– C'est plutôt à cause de toi, Théo, tu l'as
encore bousculé, espèce de grosse brute !

Alors, Simon sort des toilettes,
à cloche-pied...
Aussitôt, Papa, Maman, Théo et Julie
l'entourent et le déroulent en riant.
– Tiens, c'est Halloween aujourd'hui,
les momies sont de sortie !

– Je ne suis pas déguisé, crie Simon.
Vous me traitez tout le temps de petit
monstre, alors j'en suis devenu un vrai !

Maman serre Simon très fort dans ses bras :
– Mais non ! Tu restes le petit monstre
chéri de notre famille de monstres.
Mon joli monstre à moi, la maman
monstre qui s'énerve trop souvent
après les autres monstres !

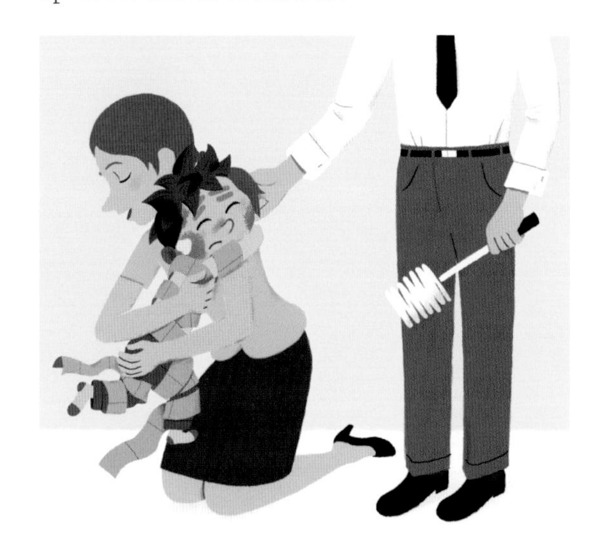

– Eh oui, dit Papa, il m'arrive aussi d'être un grand monstre qui dit de vilains mots quand l'évier est bouché ou que la voiture refuse de démarrer !
Puis, montrant Théo et Julie, écroulés de rire, il ajoute :
– Quant à eux, ce sont deux moyens monstres qui n'arrêtent pas de se disputer et de t'embêter !

Simon éclate de rire et, vite, il retire ses dents de vampire et court se débarbouiller.

À table, il engloutit deux parts de pizza et trois portions de mousse au chocolat.
Théo et Julie aussi.
Eh oui, ce soir, les enfants de la famille ont beaucoup d'appétit.
Un appétit monstre, quoi !

Le cheval de rêve

Raconté par Robert Giraud d'après la tradition du nord du Caucase, illustrations d'Anne Buguet

Un jour, au pied des grands monts du Caucase, des brigands enlevèrent un jeune garçon et le revendirent au prince d'un pays voisin, qui le mit à garder ses moutons.
Le garçon trouvait le temps long après ses parents. Il savait qu'ils étaient pauvres et qu'ils ne pourraient jamais trouver l'argent pour le racheter.

Un jour, en ramenant une bête qui s'était écartée du troupeau, le jeune berger aperçut un crâne de cheval mort. Il le contempla longuement, et ses yeux se remplirent de larmes.

Un serviteur du prince qui passait par là le vit et lui demanda pourquoi il pleurait.
– Ce n'est pas le crâne d'un cheval ordinaire, répondit le garçon d'une voix brisée. J'ai appris de mon grand-père et de mon père l'art de reconnaître les chevaux de rêve qu'on appelle les alyps et sur lesquels on peut galoper jour et nuit : ils ne se fatiguent et ne se blessent jamais.

Le serviteur rapporta l'histoire au prince, qui fit appeler le berger.
– Il paraît que tu sais reconnaître un alyp à son crâne. Mais peux-tu aussi distinguer un alyp vivant parmi d'autres chevaux?
Le gamin acquiesça.
– Je t'ordonne de m'en trouver un, reprit le prince. Je veux absolument avoir dans mes écuries une monture que je puisse chevaucher aussi longtemps que j'en ai envie. Si tu refuses, tu seras sévèrement puni.
– Il existe très peu d'alyps, répondit le garçon. Nous devrons examiner tous les chevaux de nombreux troupeaux avant de découvrir un alyp.
– Peu importe, fit le prince. Nous parcourrons le pays dans tous les sens tant que nous n'aurons pas trouvé.
Ils se mirent en route.
Dès qu'ils apercevaient au loin un troupeau de chevaux, ils s'en approchaient.
Le garçon inspectait soigneusement l'une après l'autre les bêtes d'un noir de jais.
Il les écoutait hennir.
À toutes, il tâtait le front à la recherche de la bosse à peine perceptible qui distinguait les vrais alyps.

Le jour vint enfin où le petit berger découvrit un véritable cheval de rêve.
Il dit au prince:
– Achète cet étalon. Ne regarde pas au prix. Tu ne le regretteras pas.
Le prince suivit son conseil.

Quelques semaines plus tard, le garçon aperçut une jument noire qui hennissait comme un alyp, mais dont le front avait une bosse trop grosse pour être celle d'un alyp.
Le garçon imagina alors un plan.
De retour au château, le garçon dit au prince :
– J'ai aperçu aujourd'hui un autre alyp. Une jument. Achète-la. Avec l'étalon et la jument, tu pourras avoir bientôt toute une écurie de chevaux de rêve.
« Ce garçon est vraiment extraordinaire, se dit le prince. Je ne dois pas le laisser partir, sinon il pourrait faire profiter d'autres de son secret. Je veux être le seul à avoir une cavalerie infatigable. »

Le prince acheta la jument et dit au jeune garçon :
– Tu me jures que tu ne chercheras jamais à t'enfuir ?
Le garçon répondit :
– Je te jure de ne jamais te quitter, sauf si tu me dis : éloigne-toi !
Le prince proposa alors :
– Partons dresser nos deux chevaux de rêve. Lequel me conseilles-tu de prendre ?
Le garçon se hâta de répondre :
– Je te conseille la jument. Tout me dit qu'elle doit être plus rapide que l'étalon.

Ils enfourchèrent leurs montures
et les dirigèrent vers une large plaine.
Une fois là-bas, le garçon se mit à vagabonder
en tous sens, coupant la route au prince,
le frôlant même.
Le prince grogna, puis il se mit franchement
en colère :
– Tu ne vois pas que tu me gênes ?
Éloigne-toi donc un peu ! Éloigne-toi !

Dès qu'il eut entendu ces paroles,
le garçon partit au triple galop.
Le prince comprit qu'il venait de le délier
de son serment et il lança sa jument
à sa poursuite.
Dans la vaste plaine au sol plat et herbeux,
l'étalon filait comme le vent, mais la distance
entre lui et la jument n'augmentait pas.
Le prince se réjouissait.

« Ah, ah ! Tu as voulu m'échapper, se dit-il,
mais tu as eu tort de me laisser l'alyp le plus
rapide, je ne tarderai pas à te rattraper. »

Le garçon, lui, s'amusait bien :
« Tu fais ton fier, Prince, pensait-il,
mais tu ne tarderas pas à déchanter. »

À la plaine succéda une colline pentue.
L'alyp la monta sans effort, mais la jument
ralentit un peu son allure.
Le garçon se retourna en souriant
et le prince commença à s'inquiéter.

Une fois franchi le sommet,
le cheval de rêve dévala vers le lit desséché
d'un torrent, dont le fond était semé
de cailloux pointus, mais il continua
à galoper comme si de rien n'était.

La jument, elle, se mit à trébucher
et s'arrêta tout à fait, les sabots écorchés.
Le prince dut s'avouer vaincu.

Furieux d'avoir été joué par un simple berger,
il abandonna la poursuite et rentra
à son château.

Le garçon reprit le chemin de son pays
et, après plusieurs jours de route,
retrouva son village natal.
Il gagna la maison de ses parents
et attacha à un anneau son cheval,
qui se mit à hennir.
Le père, aussitôt, pensa :
« Mon fils est de retour. Ce hennissement
est celui d'un alyp. Il n'y a que mon fils
qui puisse en chevaucher un. »

En effet, ils étaient les seuls dans tout le pays
à connaître le secret des chevaux de rêve,
qu'ils se transmettaient de génération
en génération.

Le père sortit de sa cabane, serra son fils
dans ses bras et lui demanda ce qui lui
était arrivé. Le garçon lui raconta toute
son histoire et le père lui fit compliment
de sa débrouillardise.

Épaminondas

Raconté par Odile Weulersse d'après Sarah Cone Bryant,
illustrations de Kersti Chaplet

Le premier chant du coq réveille Épaminondas. Il s'assied sur sa natte, attache son pagne et met un chapeau sur sa tête.
Épaminondas pend à son épaule un léger sac en bandes de coton et ouvre la porte de la hutte en disant :
– Passe une bonne journée, ma mère.
– Salue ta marraine de ma part et tire bien les seaux du puits.
– Ne t'inquiète pas, je serai aussi fort que le général Épaminondas dont tu m'as donné le nom.

Au lever du jour, oiseaux et animaux reprennent joyeusement leurs conversations et la brousse se remplit de chants et de cris.
Épaminondas avance pieds nus sur la terre rouge, à travers les hautes herbes qui fouettent le visage.

À l'heure où le sol commence à brûler la plante des pieds, il s'arrête à l'ombre d'un grand baobab qui s'élève près de la première case d'un village.
Là, il prend sa flûte et joue quelques notes.
Sa marraine apparaît sur le seuil de la case.
Sa marraine n'est pas n'importe qui : elle pèse cent kilos, s'habille avec trois boubous superposés et porte un turban sur sa tête ronde.

En apercevant le petit garçon,
elle sourit de toutes ses dents,
belles et blanches comme l'ivoire.
– Bonjour, Épaminondas. Tu es le bienvenu.
– Bonjour, Marraine Ba, que la paix soit
sur toi ! Je te donne le salut de ma mère.
– Je te remercie pour tes bonnes paroles
et d'être venu remplir mes jarres.

Épaminondas saisit derrière la case
une grande jarre de terre cuite
et s'achemine vers le puits du village.
Plusieurs femmes font la queue
et Épaminondas attend son tour.
Lorsque sa jarre est pleine, il la soulève
et la pose sur sa tête.
Il revient sept fois, remplit sept grandes
jarres pour les sept jours de la semaine
et, suant et soufflant,
pénètre dans la case.

La lourde marraine, dans sa chaise
de repos, lui dit :
– Tu as affronté la chaleur du soleil.
Maintenant bois, mange et repose-toi.

Épaminondas se désaltère de lait au miel,
croque une galette de mil, quelques dattes
et s'allonge sur la natte.
– Maintenant dors, mon enfant,
c'est l'heure de la sieste.

Dans la bonne odeur de sa marraine
et le doux bruit de ses soupirs,
Épaminondas s'endort.

Après la sieste, pour le remercier, Marraine Ba lui donne une friandise appétissante.
– Voilà un morceau de gâteau à la noix de coco que tu ramèneras dans ta maison.
– Je te dis merci et vais le mettre dans mon sac.
– Ce n'est pas une bonne idée, mon garçon, il s'abîmera dans ton sac. Il vaut mieux que tu le tiennes bien serré dans ta main.

En chemin, Épaminondas suit exactement les conseils de sa marraine et serre de toutes ses forces la friandise. Ses cinq petits doigts font de grands trous dans le gâteau, la pâte s'effrite en miettes qui s'égrènent sur le sol et la crème de noix de coco se répand sur sa main en longues traînées poisseuses.

En le voyant arriver, sa mère pose son pilon, met ses mains sur les hanches et écarquille les yeux :
– Épaminondas, que m'apportes-tu là ?
– Un bon gâteau à la noix de coco que m'a donné ma marraine.
Sa mère hoche la tête :
– Épaminondas, Épaminondas ! Qu'as-tu fait du bon sens que je t'avais donné à la naissance ? Pour porter un morceau de gâteau, tu l'enveloppes dans du papier fin, le mets dans ton chapeau et poses le chapeau sur ta tête. As-tu bien compris ?
– Oui, Maman.

La semaine suivante, Épaminondas retourne chez sa marraine.
Il fait tellement chaud que les feuilles du baobab pendent tristement et que Marraine Ba n'a pas la force de quitter sa chaise de repos.

Épaminondas entre donc et s'incline :
– Bonjour, Marraine Ba.
– Tu es parti de chez toi et tu es venu par cette grande chaleur ! Je t'en remercie, car mes jarres sont vides.

Épaminondas part remplir les sept jarres, puis revient boire du lait au miel et manger des galettes fourrées de dattes.
– Rends-moi service, mon petit, demande la marraine. Évente-moi car il fait si chaud que je n'arrive pas à m'endormir pour la sieste.
Épaminondas prend un rond de paille et l'agite devant le visage parfumé de sa marraine. Quand elle sourit de bien-être, il se couche à son tour sur une natte.

À son réveil, Marraine Ba lui donne un gros morceau de beurre et lui dit :
– Fais-y bien attention pendant le voyage.
– Ne t'inquiète pas, Marraine Ba, je suis un garçon très obéissant.

Une fois sorti du village, Épaminondas prend dans sa sacoche le papier fin qu'il avait emporté, dépose le beurre dans le papier, le papier dans son chapeau et le chapeau sur sa tête.
Et, comme il fait très, très chaud, le beurre ramollit et se met à fondre.
Des petits ruisseaux jaunes dégoulinent sur les cheveux, sur le front, sur le bout du nez, et tombent même sur les pieds d'Épaminondas.

En le voyant arriver, sa mère pose son fagot de bois, met ses mains sur les hanches, écarquille les yeux :
– Épaminondas ! Que m'apportes-tu là ?
– Du beurre bien frais que m'a donné Marraine Ba.

– Épaminondas, Épaminondas ! Qu'as-tu fait du bon sens que je t'avais donné à ta naissance ? Pour transporter du beurre, tu dois l'envelopper dans de larges feuilles fraîches et, le long du chemin, le tremper souvent dans l'eau d'un puits ou d'une mare. As-tu bien compris ?
– Oui, Maman.

La semaine suivante, une violente pluie tombe pendant la nuit, transformant la terre en boue.
Pourtant Épaminondas se dépêche, pressé de connaître le cadeau que sa marraine lui offrira.
Dès qu'il arrive au pied du grand baobab, il crie :
– Bonjour, Marraine Ba ! Je te souhaite le bon matin.
La marraine n'a pas fini de s'habiller et sort de la case vêtue d'un sous-boubou blanc.
Elle sent bon le parfum haoussa et sourit de ses belles dents blanches.
– Bienvenue, mon garçon ! Tu sais honorer ta marraine par de bonnes paroles. Pendant que tu rempliras mes jarres, j'irai faire une course.
Elle enfile ses sandales et s'éloigne.
Épaminondas va sept fois au puits.
Ensuite, il entre dans la case, boit, mange et attend le retour de sa marraine.
Il grille de curiosité.
Il écoute les bruits du village : coups de pilon, voix qui rient et bavardent, bêlements de chèvres et soudain un aboiement plaintif, tout proche.
Alors Marraine Ba apparaît, tenant un petit chien blanc dans ses bras.
– C'est pour toi, dit-elle.
– Merci, merci ! s'exclame Épaminondas, je te dis cent fois merci.
– Tu feras attention à ne pas le fatiguer pendant le voyage du retour.
– Sois tranquille.

Dès que le village a disparu derrière les arbres, Épaminondas cueille une grande feuille de bananier dans laquelle il enveloppe le petit chien. Il attache soigneusement le paquet avec des lianes et délicatement le trempe dans l'eau de la première mare rencontrée.
Le petit chien boit la tasse, s'étouffe, hoquette, tremblote, son poil est trempé, sa queue pendouille tristement et ses yeux sont gonflés et rougis.

– Épaminondas, que m'apportes-tu là ?
demande sa mère.
– C'est un petit chien que m'a donné
Marraine Ba.
– Épaminondas, Épaminondas ! Qu'as-tu
fait du bon sens que je t'avais donné
à la naissance ? Pour ramener un petit chien,
tu le poses par terre, tu prends une longue
corde, tu attaches un bout de la corde
au cou du chien et tu tires avec l'autre bout…
comme ça. As-tu bien compris ?
– Oui, Maman.

Une semaine plus tard, le vent balaie la plaine.
Quand Épaminondas arrive devant la case
de sa marraine, son corps et son visage
sont gris de poussière.
– Mon garçon, n'apporte pas dans ma case
la poussière de la brousse. Avant de remplir
la première jarre, tu te verseras un seau d'eau
sur la tête.

Après la sieste, Marraine Ba lui donne
de belles galettes.
– Fais bien attention à ce pain qui est encore
tout chaud, tout doré, tout croustillant.

Dès qu'il rejoint la brousse, Épaminondas
pose les galettes par terre, saisit une liane
qui pend à un palmier, l'attache d'un côté
aux galettes et de l'autre la serre dans
sa main en tirant…, comme ça.
Et les galettes traînent dans la poussière,
se fendillent, s'écornent, s'émiettent,
et deviennent une petite boule sale
au bout de la liane.

En voyant arriver son fils, la mère écarquille
les yeux et s'exclame :
– Épaminondas, que m'apportes-tu là ?
– Du pain tout doré, tout croustillant
que m'a donné ma marraine.

– Épaminondas, tu n'as pas de bon sens et tu n'en auras jamais ! Dorénavant j'irai remplir les jarres chez ta marraine.

La semaine suivante, pendant que le coq chante le lever du jour, Épaminondas reste couché sur sa natte, la tête à moitié cachée sous sa couverture. D'un œil il regarde sa mère qui pose un grand voile sur sa tête et enfile ses sandales. Elle se dirige vers le four, en sort six pâtés qu'elle dépose sur le pas de la porte.
Avant de partir, elle se retourne et explique à son fils :
– Je mets les pâtés ici à refroidir. Aussi, quand tu sortiras, tu feras bien attention en passant dessus. As-tu bien compris ?

Lorsque sa mère a disparu, Épaminondas se lève, attache son pagne et se dit : « Je vais être très obéissant et faire bien attention en passant sur les pâtés. »
Avec une extrême attention, Épaminondas pose fermement un pied, puis l'autre, sur chaque pâté.

Lorsque sa mère découvre les six pâtés soigneusement écrasés sur le seuil de la case, sa main alors se remplit de gifles.
Épaminondas ouvre de grands yeux effrayés.

Au crépuscule, Épaminondas met dans son sac quelques coquillages, s'éloigne de la case et marche longtemps dans la brousse à la lumière des étoiles.

Arrivé au sommet d'une colline, il s'incline devant un vieux sorcier, assis sous un fromager.
– Sois le bienvenu, dit le sorcier. Qu'est-ce qui t'amène au milieu de la nuit ?
– Je viens te demander la parole qui dit la vérité et t'offre ces coquillages pour faire un collier.
– Que veux-tu savoir ?
– Je veux savoir pourquoi, alors que je suis toujours très obéissant, je me fais toujours gronder par ma mère.
Et il raconte ses dernières aventures.

Lorsque le sorcier eut entendu les malheurs d'Épaminondas, sa bouche se remplit de rires.
– Qu'as-tu dans la caboche, mon garçon ? À quoi te sert d'avoir des yeux sur le devant de la figure si tu ne sais pas utiliser ton bon sens ? Le rusé renard revient-il dans le poulailler dont il a déjà mangé les poules ?

Et comme Épaminondas le dévisage d'un air stupéfait, il ajoute :
– Ne cherche plus à obéir sans réfléchir. C'est à chacun de trouver comment il doit agir. Maintenant va en paix, le cœur tranquille et l'esprit éveillé.

Grand-père farceur

Laurence Delaby, illustrations de Lucile Butel

Petit Louis a un grand-père
qui raconte toujours des blagues.
– Chut, Petit Louis, ne le dis à personne, c'est moi qui fais les nuages du ciel. Je m'assois près de la fenêtre avec ma pipe et, *pouf! pouf!* les nuages s'envolent dans le ciel. Et quand je veux qu'il y ait un beau ciel bleu, tout bleu, je mets ma pipe dans ma poche.
– Bravo ! dit Petit Louis, arrête-toi de fumer, mets vite ta pipe dans ta poche et donne-nous un ciel bleu. J'ai envie de me promener avec toi.

Et voilà Petit Louis et Grand-père qui mettent leurs manteaux... et qui vont se promener sous le soleil au milieu des fleurs du jardin.

Mais le ciel se couvre d'un gros nuage.
Et la pluie tombe, tombe.
– Eh bien, Grand-père, et ta pipe ?
– Ah, j'ai dû oublier un nuage dans ma poche. Il s'est sauvé tout seul et la pluie est tombée.
– Oh, Grand-père, quelle bonne blague !
– Non, non, personne ne le sait, mais je suis un grand magicien.
– Alors, dit Petit Louis, si tu es magicien, trouve-nous un parapluie.
– Rien de plus facile, ce sera même un parapluie magique, un parapluie qui nous transformera en bison d'Amérique.

Grand-père ôte son pardessus. Il le pose sur sa tête. Les manches de chaque côté font comme de longues cornes. Grand-père passe ses mains dedans et les agite.
– *Hon ! Hon !* Je suis le grand bison d'Amérique ! Glisse-toi sous mon pardessus, Et tiens bien mon chandail par-derrière.

Et au galop sous la pluie !

Mais Grand-père et Petit-Louis, aveuglés sous le manteau, ont éclaboussé le gardien du square.
– Eh ! dites donc ! Vous ne pouvez pas faire attention ?
– Oh ! excusez-moi, Monsieur, je vous demande pardon.

Et le grand bison d'Amérique redevient un grand-père et un Petit louis qui se hâtent de rentrer à la maison.

– Dis donc, Grand-père, il a eu drôlement peur du gardien, ton bison ?
– Oh, si j'avais voulu, le gardien ne m'aurait pas vu.
– Comment ça ? dit Petit Louis.
– Je me serais rendu invisible.
– C'est encore une blague ? Fais voir !

– Bon, dit Grand-père. Ferme les yeux et compte jusqu'à cinq.

Petit-Louis ferme les yeux :
– Un, deux, trois, quatre, cinq...
Petit Louis ouvre les yeux.
Grand-père a disparu !
– Maman, tu n'as pas vu Grand-père ?

Maman ouvre la porte du placard :
– Oh Grand-père, comme vous m'avez fait peur !
– Excuse-moi, je jouais avec Petit Louis.
– Voyons, Grand-père, ce n'est plus de votre âge ! Soyez donc un peu sérieux !

– Dis donc, Grand-père, on joue encore aux magiciens ?

La nuit du marchand de sable

Clair Arthur, illustrations de Stéphane Girel

« Hein ? Quelle heure ? Huit heures du soir ! Ouh ! là, là ! Je ne suis pas en avance. Je suis même en retard ! »
Vite, vite, le petit marchand de sable met en route son avion à hélice.

Vroum ! Potch ! Mais... mais que se passe-t-il ? Le moteur ne veut pas démarrer.
« Catastrophe ! Si je ne sème pas mon sable, les enfants ne vont jamais réussir à s'endormir. Ils vont faire le cirque toute la nuit... »

Vroum ! Potch ! Rien à faire !
L'hélice ne veut pas tourner.

Le petit marchand de sable ouvre sa caisse à outils.
Kling ! Bakling ! Il répare l'hélice.
Une goutte d'huile, et *hop !* ça tourne.
« J'ai perdu une heure. Tant pis !
Ça y est, j'y suis. »

Allez, *Flof!* Une première poignée de sable.
Flop ! Une deuxième.
« Mais... ce n'est pas du sable. C'est de la semoule de couscous ! Ah, ben, ça alors ! Où est passé mon sable ? Qui a rempli mon avion de semoule de coucous ? »

« Déjà dix heures ! Et les enfants qui
ne dorment toujours pas. Au contraire,
ils font des glissades dans les couloirs...
Ils rigolent. Vite, vite, il faut que je trouve
du sable. »

Vroum ! Vroum !
Le petit marchand de sable file au bord
de la mer. Il remplit de sable le coffre de son
avion et s'envole au-dessus des maisons.

Flop ! Une poignée.
Flop ! Deux poignées.
« Mais... mais ce n'est pas mon sable.
Il y a des pelles, des râteaux et même
des châteaux de sable. Euh...
J'ai encore fait une bêtise, j'ai envoyé
du sable qui gratte, pas du sable
qui picote les yeux et qui fait dormir. »

« Minuit ! Et les enfants qui font toujours les crabes dans leurs chambres… Et les parents qui rouspètent… Du sable doux, il faut que je trouve du sable doux. »

Vite, vite, fissa, le petit marchand s'envole jusqu'au désert. Il se pose près d'un palmier et il remplit à nouveau son avion.
C'est reparti, le voici au-dessus des toits !

Flop ! Une poignée.
Flop ! Deux poignées.
« Mais… mais quelle tempête de sable ! Oh non ! J'ai encore fait une bêtise, les enfants se prennent pour des gazelles maintenant. »

Le petit marchand de sable ne sait plus quoi faire. Il remonte dans son avion, fait des ronds dans le ciel.
Et puis après, il se pose au milieu d'un champ. Tout triste, il s'assoit dans l'herbe. Il est déjà trois heures du matin…
– *Pstt ! Pstt !*
– Hein ?
Le petit marchand lève le nez.
Personne autour. Seulement les herbes au clair de lune.
– Qui m'appelle ?
– *Psstt ! Psst !* C'est moi, une petite souris, sous ton pied. C'est du sable d'étoile qu'il faut semer au-dessus des lits pour que les enfants s'endorment.

– Comment sais-tu ça, toi, une petite souris ?
– Toutes les souris le savent, gros malin !
Vas-y, dépêche-toi, parce que les enfants sont toujours debout.
– Merci, merci, petite princesse à moustaches.

Vite, vite, le petit marchand de sable décolle.
Il fonce à toute allure vers les étoiles.
C'est loin, les étoiles.
Une pelletée, deux pelletées.
On entend les enfants d'ici.

Vite, retour vers la Terre.
Flop ! Flop ! Voici le sable du sommeil.
Flop ! Flop...
Il était temps, le soleil commence à se lever.

Mais dans les chambres, tout le monde ronfle enfin : les enfants, les parents, les chats, les poissons rouges, tous... et même les pendules.
– Je suis crevé, je vais me coucher, dit le petit marchand de sable après avoir rangé son avion dans son hangar.
Bonne nuit ! Euh, zut ! Bonjour...

Ivan et l'oie de Noël

Raconté par Christine Frasseto d'après la tradition russe, illustrations de Nicolas Duffaut

C'était en Russie, au temps du tsar Alexandre le Terrible. Ivan Ivanovitch était un jeune moujik, un simple paysan.
Il habitait avec sa grand-mère Maroussia dans leur isba, une maison en rondins de bois, sur le plateau de la Volga.

Ivan et sa grand-mère vivaient pauvrement de leurs cultures et de l'élevage des oies. Et pourtant, ils avaient le cœur content. Le soir, Ivan jouait de la balalaïka, une guitare à trois cordes, et Maroussia dansait en frappant des mains.

Mais, cette année-là, Grand-père Gel était venu saluer les champs au début du printemps. Les semences d'orge, de seigle et d'avoine avaient gelé, et n'avaient pas pu germer.

La récolte de l'été avait été bien maigre et, à l'automne, Maroussia se lamenta en regardant les sacs de toile presque vides au grenier :
– Ivan, mon pauvre Ivan, comment allons-nous faire pour survivre à l'hiver ?

Ivan rit pour cacher son inquiétude :
– Allons Babouchka, il nous reste encore des choux, des poireaux et des navets. Nous les partagerons avec nos oies quand le froid viendra. Au pire, j'irai vendre quelques oies à Vassili Vassilievitch, le marchand !

Secrètement, Ivan espérait ne pas en arriver là. Car Vassili Vassilievitch était un homme avare et sans scrupule…

L'hiver arriva, avec ses bourrasques de vent glacial, et ses tempêtes de neige.
Les renards affamés s'aventurèrent hors de la forêt et, malgré la surveillance d'Ivan, ils volèrent la moitié des oies.

Dans l'isba, les provisions fondaient à vue d'œil et, bientôt, il fallut se résoudre à vendre les oies restantes. Ivan en rassembla dix, et laissa la dernière à sa grand-mère :
– Ainsi, tu auras au moins un œuf par jour à manger, en attendant mon retour.
Il enfila sa chapka, un chapeau en fourrure de lapin, et sourit :
– Ne t'inquiète pas, Babouchka. Vassili Vassilievitch a promis qu'il me paierait un bon prix pour ces dix oies !
Ce fut un long chemin pour arriver au village. Il tombait des flocons gros comme des noix, et qui aveuglaient sans cesse Ivan. Le vent secouait violemment les arbres dénudés, comme pour les forcer à s'incliner devant lui.
Les oies trébuchaient de fatigue, manquant de se perdre à chaque tournant.
Les bottes d'Ivan pesaient du plomb, mais il résistait de toutes ses forces, et chantait à tue-tête pour encourager ses oies à le suivre de près :
– *Hay ho, avancez mes oiseaux ! Karacho, karacho, bientôt vous serez au chaud !*

À l'entrée du village, une ribambelle d'enfants aux doigts bleuis par le froid entoura Ivan, et le supplia :
– Compère, compère, donne-nous à manger. Nous avons faim, nous avons faim à en pleurer !
Ivan eut pitié de ces pauvres orphelins.
Il donna cinq de ses oies à l'aînée des enfants.
– L'hiver est bien rude pour les pauvres gens, dit-elle en remerciant Ivan. Et Vassili Vassilievitch profite de notre misère pour s'enrichir !

Vassili Vassilievitch avait le cœur plus gelé que le sol au plus froid de l'hiver. De ses gros doigts couverts de bagues, il jeta quelques roubles à Ivan en échange de ses cinq oies.
– Elles sont trop maigres. Et tu m'en avais promis dix. Alors je te paie la moitié de la moitié de ce qu'elles valent, moujik. Estime-toi heureux, et que je n'entende plus jamais parler de toi !

Ivan serra les dents en ramassant les pièces au sol. Il put juste acheter du blé noir, et s'en retourna amèrement vers son isba.

Pour réconforter Ivan, Maroussia prépara du bortsch, un bouillon fait avec des restes de lard, quelques feuilles de chou, une betterave rouge, un poireau et une carotte. C'étaient leurs dernières provisions.

Les jours suivants, ils partagèrent le pain de blé noir et un œuf d'oie, mais bientôt, les estomacs recommencèrent à gronder. Le soir, Ivan jouait de la balalaïka, mais Babouchka n'avait plus la force de danser.

Un matin, Maroussia caressa la dernière oie, en gémissant :
– Petite oie, nous allons te manger. J'ai faim, j'ai faim à en pleurer.
Alors Ivan se mit en colère.
– Non, Babouchka. Je vais aller offrir cette oie à notre tsar, et je reviendrai avec de quoi nous nourrir jusqu'au printemps.
Car, comme la tradition le voulait en ce temps-là, celui qui recevait un cadeau, devait en offrir un autre en échange... à condition d'accepter le premier cadeau !
Ivan serra l'oie contre sa poitrine, et boutonna son manteau par-dessus.
Il marcha trois jours durant, affrontant le froid, la neige et le vent, grâce à sa volonté, et à la maigre chaleur que lui prodiguait l'oie.

Au palais, Ivan repoussa les gardes,
et se dirigea droit dans la salle de banquet.
Là, il s'inclina respectueusement devant
le tsar, qui se régalait de caviar et de poissons
fumés avec sa femme, ses deux filles
et ses deux fils. Ivan lui dit :
– Glorieux tsar, je viens de loin pour t'offrir
cette oie. Ne méprise pas ce cadeau,
car c'est notre dernier bien, et il t'est offert
de bon cœur.
Le tsar se gratta la barbe en observant
ce garçon, à qui le désespoir donnait tant
d'audace. Il retint d'un geste les gardes
qui s'apprêtaient à s'emparer d'Ivan,
et dit à ce dernier :
– J'accepte ton cadeau, moujik, si tu parviens
à le partager équitablement entre les
membres de ma famille, sans faire de jaloux !

Ivan avala sa salive. Il savait que s'il avait
le malheur de déplaire au tsar, celui-ci
le chasserait impitoyablement, et il n'aurait
plus que ses yeux pour pleurer !

Ivan respira profondément,
et s'adressa au tsar:
– Vous qui êtes à la tête du pays, la tête
de cette oie vous revient assurément.

Puis il s'inclina devant la tsarine :
– C'est sur vous que repose la lourde charge de la maison, alors vous aurez le croupion.
Ensuite, il se tourna vers les garçons :
– Une patte pour chacun de ces tsarévitchs si fiers, pour qu'ils marchent sur les traces de leur glorieux père.
Enfin, il baissa les yeux devant les deux jeunes filles.
– Un jour, vous vous envolerez du foyer, belles demoiselles. Alors, prenez les ailes.

La voix d'Ivan s'étrangla dans sa gorge. Il se sentit vaciller de faim et de fatigue, mais il puisa dans ses dernières forces pour conclure :
– Quant à moi, je ne suis qu'un humble moujik, tout juste bon à dévorer les misérables restes de cette oie !

Le tsar éclata de rire :
– ***Ho ho ho !*** En voilà, un juste partage ! Tu as réussi à offrir ce qu'il fallait à chacun, et à garder le meilleur pour toi ! Et bien, astucieux moujik, il ne sera pas dit que le tsar est un ingrat. Assieds-toi, et mange à ma table !

Ivan mangea et but à satiété.
Il raconta ses malheurs au souverain.
Le tsar l'écouta gravement, et, à la fin du repas, il donna l'ordre de raccompagner Ivan dans un traîneau, chargé de vivres à ras bord.

Ivan et Maroussia pourraient enfin faire de vrais repas !

Le Petit Poucet

D'après Charles Perrault, illustrations de Ronan Badel

Il était une fois un bûcheron et une bûcheronne, qui avaient sept enfants, tous des garçons. Ils étaient fort pauvres, et avaient bien du mal à les nourrir.
Le dernier surtout leur donnait du souci, car il était délicat et tout petit.
Quand il vint au monde, il n'était guère plus gros que le pouce, ce qui fit qu'on l'appela le Petit Poucet. Cependant, il était le plus futé et, s'il parlait peu, il écoutait beaucoup.

La famine devint si grande que ces pauvres gens n'eurent bientôt plus rien à donner à leurs petits. Un soir que les enfants étaient couchés, le bûcheron dit à sa femme le cœur serré de douleur :
– Je ne veux pas voir mes enfants mourir de faim devant mes yeux. Je suis décidé à les perdre demain dans le bois,
– Ah ! s'écria la bûcheronne, comment pourrais-tu abandonner tes propres enfants ?
La mère s'indigna, protesta, mais à la fin, elle accepta, et alla se coucher en pleurant.

Le Petit Poucet avait tout entendu. Sans être vu, il s'était levé et glissé sous le tabouret de son père. Il se recoucha et ne dormit pas de la nuit, réfléchissant à ce qu'il devait faire.

Le Petit Poucet se leva de bon matin et alla au bord d'un ruisseau où il remplit ses poches de petits cailloux blancs.
À son retour, il ne dit rien de ce qu'il savait à ses frères.

Ils partirent tous et arrivèrent bientôt dans la forêt. Le bûcheron se mit à couper du bois et ses enfants à ramasser des brindilles pour faire des fagots.
Le père et la mère s'éloignèrent tout doucement, et puis s'enfuirent tout à coup par un sentier.

Lorsque les enfants se virent seuls, ils se mirent à crier et à pleurer de toute leur force.
Seul le Petit Poucet n'était pas inquiet, il savait bien par où ils reviendraient à la maison.
En marchant, il avait laissé tomber un à un le long du chemin tous les petits cailloux blancs qui remplissaient ses poches.
Il rassura ses frères :
– Ne craignez rien. Nos parents nous ont laissés ici, mais je vous ramènerai chez nous. Suivez-moi !

Ils le suivirent, et il les mena à leur maison par le même chemin qu'ils étaient venus dans la forêt. N'osant entrer, les enfants se mirent contre la porte pour écouter ce que disaient leurs parents.

Au moment où le bûcheron et la bûcheronne arrivaient chez eux, ils reçurent dix écus qu'on leur devait depuis longtemps.

Le bûcheron envoya aussitôt sa femme à la boucherie où elle acheta trois fois plus de viande qu'il n'en fallait pour le souper de deux personnes.
Lorsqu'ils furent rassasiés, la bûcheronne dit
– Nos pauvres enfants se régaleraient de ce qui nous reste là. Mon Dieu, où sont-ils ? Les loups les ont peut-être déjà mangés !
Tu es bien inhumain d'avoir perdu ainsi tes enfants.
Elle pleurait si fort que les enfants l'entendirent et se mirent à crier tous ensemble :
– Nous voilà ! Nous voilà !

Elle courut leur ouvrir la porte
et leur dit en les embrassant :
– Que je suis aise de vous revoir,
mes chers enfants !
Ils se mirent à table, et mangèrent
d'un appétit qui faisait plaisir à voir.

Cette joie dura tant que les dix écus durèrent.
L'argent dépensé, les parents retombèrent
dans leur premier chagrin. Ils résolurent
alors de perdre à nouveau leurs enfants,
mais de les mener bien plus loin
que la première fois.
Ils eurent beau parler secrètement, le Petit
Poucet les entendit quand même. Il se leva
tôt pour ramasser des petits cailloux, mais
il trouva la porte fermée à double tour.

Il ne savait que faire, lorsqu'il se rappela que
leur mère avait donné à chacun un morceau
de pain pour leur déjeuner. Il pourrait jeter
des miettes au lieu de cailloux.

Le père et la mère menèrent les enfants
dans l'endroit de la forêt le plus épais
et le plus obscur et s'enfuirent.
Le Petit Poucet ne s'inquiéta pas beaucoup,
persuadé de retrouver son chemin grâce
au pain qu'il avait semé partout où ils étaient
passés. Mais il fut bien surpris lorsqu'il
ne put en retrouver une seule miette :
les oiseaux avaient tout mangé.
Voilà les enfants bien affligés,
car plus ils s'enfonçaient dans la forêt,
plus ils s'égaraient.
La nuit vint. Un grand vent s'éleva qui leur
faisait des peurs épouvantables. Il leur semblait
entendre de partout des hurlements de loups
prêts à les dévorer.
Une grosse pluie les perça jusqu'aux os.
Ils glissaient à chaque pas, tombaient dans
la boue, d'où ils se relevaient tout crottés.

Le Petit Poucet grimpa au haut d'un arbre. Ayant tourné la tête de tous côtés, il aperçut une petite lueur, comme celle d'une chandelle, loin par-delà la forêt.
Il redescendit, et lorsqu'il fut à terre, il ne vit plus rien. Cela le désola. Cependant, ayant marché quelque temps avec ses frères du côté où il avait vu la lumière, il la revit en sortant du bois.

Les enfants arrivèrent enfin à la maison où se trouvait cette chandelle, non sans bien des frayeurs, car souvent ils la perdaient de vue. Les enfants frappèrent à la porte, et une femme vint leur ouvrir. Le Petit Poucet lui dit qu'ils étaient perdus et qu'ils demandaient à coucher, par charité. La femme se mit à pleurer et leur dit :

– Hélas ! Mes pauvres enfants, savez-vous où vous êtes ? C'est ici la maison d'un ogre qui mange les petits enfants.
– Hélas ! Madame, répondit le Petit Poucet, qui tremblait de toute sa force aussi bien que ses frères, que ferons-nous ? Les loups de la forêt ne manqueront pas de nous manger, si vous ne voulez pas nous garder. Peut-être votre mari aura pitié de nous.

La femme de l'ogre crut qu'elle pourrait les cacher à son mari jusqu'au lendemain et les laissa entrer. Comme les enfants commençaient à se chauffer, ils entendirent heurter trois ou quatre grands coups à la porte : c'était l'ogre qui revenait. Aussitôt sa femme les fit cacher sous le lit et alla ouvrir la porte.

L'ogre se mit aussitôt à table. Sa femme lui apporta le mouton tout entier qui cuisait à la broche. L'ogre flairait à droite et à gauche, disant qu'il sentait la chair fraîche.
– C'est le mouton que vous sentez, lui dit sa femme.
– Je sens la chair fraîche, reprit l'ogre.
Et en disant ces mots, il se leva et alla droit au lit.
– Ah ! maudite femme ! dit-il. Voilà donc comme tu veux me tromper !

Il tira les enfants de dessous le lit l'un après l'autre. Ils se mirent à genoux en l'implorant ; mais les pauvres avaient affaire au plus cruel de tous les ogres qui, bien loin d'avoir de la pitié, les dévorait déjà des yeux.

L'ogre alla prendre un grand couteau. Il avait déjà empoigné l'un des enfants, lorsque sa femme lui dit :
– Que voulez-vous faire à l'heure qu'il est ? Vous aurez tout le temps demain. Et puis vous avez le mouton à finir.
– Tu as raison, dit l'ogre, donne-leur bien à souper, afin qu'ils ne maigrissent pas, et va les mener coucher.

La bonne femme se réjouit, mais les enfants ne purent rien avaler, tant ils étaient effrayés. Quant à l'ogre, il se mit à boire, ravi d'avoir de quoi se régaler demain. Il but davantage qu'à l'ordinaire, ce qui lui donna mal à la tête et l'obligea à se coucher.

L'ogre avait sept filles, qui n'étaient encore que des enfants. Ces petites ogresses avaient de petits yeux gris, le nez crochu, et une grande bouche avec de longues dents pointues. Elles n'étaient pas encore très méchantes, mais pourtant elles mordaient déjà les petits enfants.
Toutes les sept dormaient dans un grand lit, avec chacune une couronne d'or sur la tête.
Il y avait dans la chambre un autre lit identique, et c'est dans ce lit, que la femme de l'ogre coucha les sept petits garçons. Puis elle alla dormir auprès de son mari.

Le Petit Poucet craignait que l'ogre regrette de ne pas les avoir égorgés dès le soir même. Il avait remarqué les couronnes des petites ogresses. Il se leva, prit les bonnets de ses frères et le sien, et il alla doucement les mettre sur la tête des sept filles, après leur avoir enlevé leurs couronnes d'or, qu'il mit sur la tête de ses frères et sur la sienne. Ainsi si l'ogre venait, il les prendrait pour ses filles, et ses filles pour les garçons qu'il voulait égorger.

La chose réussit comme le Petit Poucet l'avait pensé. L'ogre, s'étant éveillé sur le minuit, eut regret d'avoir remis au lendemain ce qu'il pouvait exécuter le jour même. Il se jeta hors du lit, et prit son grand couteau en se disant : « Allons voir, comment se portent nos petits drôles ! »
Il monta à tâtons à la chambre de ses filles et s'approcha du lit où se trouvaient les petits garçons.
Ils dormaient tous, excepté le Petit Poucet, qui eut très peur lorsque la main de l'ogre lui tâta la tête, comme il l'avait fait à ses frères. L'ogre sentit les couronnes d'or. « Vraiment, se dit-il, j'allais faire une belle erreur ! Je vois bien que j'ai trop bu hier soir. »
Il alla ensuite au lit de ses filles, et sentit les bonnets des garçons.
« Ah ! voilà nos gaillards, travaillons hardiment. »
En disant ces mots, l'ogre coupa, sans hésiter, la gorge à ses sept filles.
Puis, fort content lui, il alla se recoucher auprès de sa femme.

Dès que le Petit Poucet entendit à nouveau l'ogre ronfler, il réveilla ses frères et leur dit de le suivre. Ils descendirent doucement dans le jardin, puis coururent presque toute la nuit, sans savoir où ils allaient.

Dès son réveil, l'ogre dit à sa femme :
– Va chercher ces petits drôles d'hier au soir.
Elle monta dans la chambre, où elle tomba évanouie, en découvrant ses sept filles égorgées.
L'ogre ne fut pas moins étonné que sa femme lorsqu'il vit l'affreux spectacle.
– Ah ! qu'ai-je fait là ? s'écria-t-il.
Ils me le paieront.
Il jeta aussitôt un pot d'eau dans le nez de sa femme pour la faire revenir à elle.
– Donne-moi vite mes bottes de sept lieues, lui dit-il, je dois les attraper.

L'ogre allait de montagne en montagne et traversait des rivières aussi facilement qu'il aurait sauté le moindre ruisseau.
Après avoir couru de tous côtés, il entra enfin dans le chemin où marchaient les sept frères.
Le Petit Poucet l'entendit arriver. Il aperçut un rocher creux et dit aussitôt à ses frères de s'y cacher. Il s'y fourra aussi, tout en regardant ce que l'ogre faisait.

L'ogre voulut se reposer car il était épuisé, (les bottes de sept lieues fatiguent fort leur homme), et, par hasard, il alla s'asseoir sur le rocher où les petits garçons s'étaient cachés.

L'ogre s'endormit aussitôt et se mit à ronfler si effroyablement que les pauvres enfants avaient aussi peur que lorsqu'il tenait son grand couteau pour leur couper la gorge.
Le Petit Poucet dit à ses frères de s'enfuir, et de ne point s'inquiéter pour lui.
Ils suivirent son conseil et gagnèrent vite leur maison.

Le Petit Poucet, s'étant approché de l'ogre, lui tira doucement ses bottes et les enfila aussitôt. Les bottes étaient grandes et larges, mais elles étaient magiques. Elles avaient le don de s'agrandir et de rapetisser selon la jambe de celui qui les chaussait ; elles se trouvèrent ainsi justes à ses pieds, comme si elles avaient été faites pour lui.

Le Petit Poucet fila droit à la maison de l'ogre.
Il y trouva sa femme qui pleurait toujours ses filles égorgées.
– Votre mari est en grand danger, lui dit-il.
Il a été pris par une bande de voleurs qui ont juré de le tuer s'il ne leur donne pas tout son or. Les bandits lui tenaient le poignard sur la gorge, quand votre mari m'a aperçu. Il m'a prié vous vous dire

de me donner tout ce qu'il possède, sinon ils le tueront sans pitié. Il m'a prêté ses bottes de sept lieues, pour que je vienne au plus vite, et aussi afin que vous ne me preniez pas pour un menteur.

La bonne femme, fort effrayée, lui donna aussitôt tout ce qu'ils possédaient.

Le Petit Poucet, chargé de toutes les richesses de l'ogre, courut à la maison de ses parents. Il n'est pas possible d'imaginer la joie de tous en le revoyant.

Et grâce à lui, qui était pourtant le plus petit, ils purent vivre longtemps, heureux et sans soucis.

Les rois de la plage

Pascale Tortel, illustrations de Philippe Diemunsch

Ce matin, le papa et la maman d'Adrien
veulent aller à la plage de bonne heure.
Maman a préparé le pique-nique,
Papa a pris le parasol et les serviettes.

Mais où est passé Adrien ?
Il est dans sa chambre en train de jouer.
Quand Maman l'appelle pour partir,
il répond :
– Non, je n'irai pas, je ne veux pas sortir !
Ici, j'ai mes jouets, là-bas, il n'y a rien.
Mais Papa fait sa grosse voix, et lui dit :
– Si tu ne viens pas, je monte te chercher !
Alors Adrien descend en bougonnant.

Sur la plage, une surprise attend Adrien.
Il voit une serviette, un seau et un râteau.
Tiens ! il y a quelqu'un...
Derrière un gros rocher, une petite voix
lui crie :
– Oh ! Hé ! Salut, moi c'est Chloé, et toi ?
– Moi, c'est Adrien, répond-il, timide soudain.
– On peut jouer si tu veux, propose Chloé.
– D'accord, dit Adrien en rougissant un peu.

Et, avec le seau, la pelle et le râteau, Chloé et
Adrien construisent un merveilleux château.
Il a une tour et un donjon.
– Je serai la Reine, dit Chloé.
– Et moi le Roi, répond Adrien.
Adrien se sent fort en disant cela.

Mais voilà qu'un garçon s'approche.
C'est un grand. Il regarde le château d'un air moqueur, et saute dessus à pieds joints.
Le château est démoli !
Adrien est furieux. Il court après le grand garçon et le rattrape. C'est la bagarre.
– T'avais pas le droit ! hurle Adrien.
– Lâche-moi, crie le garçon.
Les grandes personnes doivent les séparer.

Maintenant Adrien pleure et sa maman essaie de le consoler.
– Tu en construiras un autre, mon chéri, lui dit-elle.
Alors Chloé s'approche de lui, et dit :
– Tu es le plus fort !
Adrien rougit jusqu'aux oreilles.
Son chagrin est oublié.

Ils construisent un nouveau château encore plus beau que le premier, avec un fossé pour empêcher les ennemis de passer, et deux tours pour mieux les surveiller.

Bientôt les parents de Chloé l'appellent pour rentrer.
– À demain Adrien ! dit Chloé.
Elle lui offre une étoile de mer, et lui fait un gros bisou sur la joue.
– À demain ! répond Adrien, en lui donnant un beau coquillage brillant.

Puis Adrien rentre, lui aussi, avec son papa et sa maman. L'étoile de mer est dans sa poche contre son cœur qui bat très fort.
Il a hâte d'être demain pour revoir son amie Chloé.

Florian voudrait un animal

Anne-Marie Chapouton, illustrations d'Éric Gasté

– Dis, Maman, je voudrais bien un chien...
Un chien avec de bons yeux, de grosses pattes et qui remue la queue, un chien pour moi, tout joyeux...
Maman soupire :
– Je te l'ai déjà dit, Florian, un chien, ça aboie tout le temps ; il serait malheureux dans l'appartement. Et puis il faut le sortir pour pipi caca et tout ça...

Maintenant, c'est Florian qui soupire.
Et il va voir Papa.
– Dis, Papa, Maman ne veut pas d'un chien. Alors je voudrais avoir un chat ! Un chat tout petit, un chaton, quoi ! Avec des yeux ronds, un poil tout doux, et qui ronronne en me voyant...

Papa lève les bras au ciel :
– Oh ! là, là ! Un chat, malheur ! Ça vole la nourriture, ça miaule, c'est filou. Un chat qui met des poils partout, pas de ça chez moi !
Et Florian s'en va en traînant les pieds.

Le lendemain, comme il a une autre idée, Florian va tirer son père par la manche.
– Ça y est, Papa, j'ai trouvé ! dit-il. C'est un perroquet que je veux avoir. Un perroquet sur un perchoir. Bleu, rouge et bavard. Pas de puces, pas de poils, ça ne vole pas la nourriture. Pas besoin de le sortir pour pipi caca sur les trottoirs.
Papa répond seulement :
– Un perroquet, c'est mal élevé, ça dit des gros mots ! Ce n'est pas un oiseau pour un petit garçon !

Quelques jours après, Florian se lève en criant :
– Maman, Maman, je sais ce qu'il me faut : c'est un hamster dans une cage ! Il sera bien sage. Il fera tourner sa roue et je l'apprivoiserai, je le câlinerai, je...

Maman est déjà en train de gémir :
– Florian, Florian ! Un hamster, ça sent mauvais. Ça dort tout le temps. Ça ne fait que salir sa cage et puis ça ressemble à un rat, je n'aime pas ça. D'autant plus que ça a mauvais caractère !

Et Florian, tout triste, se dit :
« Il faut que je trouve un animal encore plus petit que ça. Peut-être alors que mes parents diront oui. »

Le lendemain, Florian ne veut pas se lever. Il a de la fièvre, il a mal à la tête, mal au ventre et mal dans la poitrine. Le docteur vient. Il examine Florian et le taquine un peu :
– Alors tu as attrapé un gros microbe ?
Florian secoue la tête :
– Non, c'est un microbe très petit. Peut-être qu'on voudra bien me le laisser pour qu'il me tienne compagnie.

Puis Florian se met à rire. Il ne peut pas s'arrêter de rire. Tout le monde est là, à côté de son lit, à se demander ce qu'il a.

Enfin, Florian dit :
– Écoutez comment ce sera chez moi quand je serai grand. Il y aura un boa sur mon canapé, un singe sur mon balcon, des poissons dans la machine à laver et un bébé hippopotame dans la baignoire. Et tous les matins, j'irai au travail en traîneau tiré par six chiens esquimaux. *Ha, ha !* Quand je serai grand, vous verrez ce que vous verrez, je vous le promets.

Le soir, la fièvre est tombée.
Mais Florian est bien fatigué.
Florian ne rit plus, Florian ne pense plus aux animaux qu'il aura quand il sera grand.
Il est très triste tout seul, tout malheureux.

Alors, tout d'un coup, il entend un petit bruit.
C'est là, derrière la fenêtre.
Il se met debout sur son lit pour mieux voir.

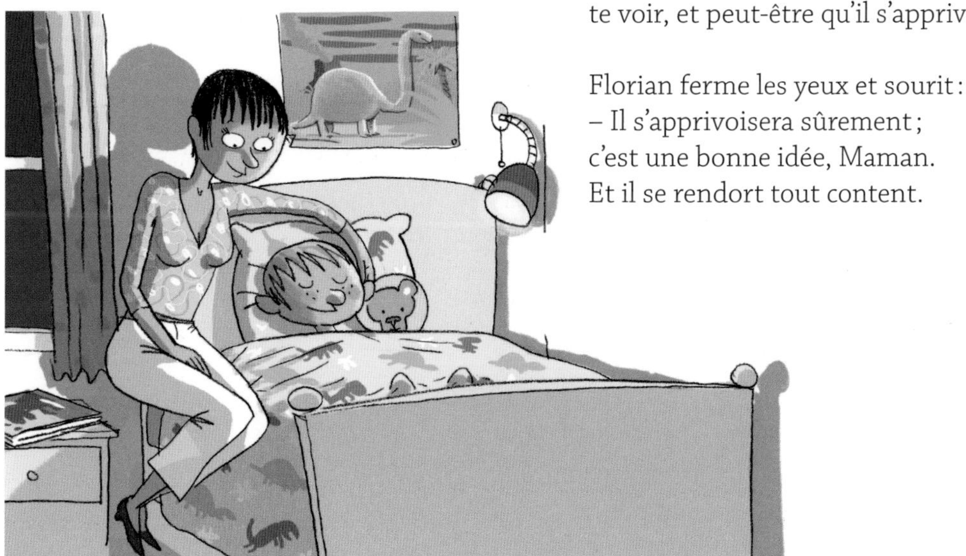

Là, sur le rebord de la fenêtre, il y a un gros merle qui tourne, sautille et se retourne.
Florian regarde le merle, et le merle regarde Florian, puis il s'envole un peu plus loin.

Maman est rentrée dans la chambre.
Elle a tout vu. Elle dit à Florian :
– Tu sais, j'ai une idée : si tu veux... je vais chercher des miettes, nous les mettons sur la fenêtre. Comme ça, le merle reviendra te voir, et peut-être qu'il s'apprivoisera...

Florian ferme les yeux et sourit :
– Il s'apprivoisera sûrement ;
c'est une bonne idée, Maman.
Et il se rendort tout content.

Espèce de cucurbitacée !

Nathalie et Yves-Marie Clément, illustrations de Louis Alloing

Pépé Adrien se redresse et me lance en pleine figure :

– ***Espèce de cucurbitacée !*** Regarde un peu où tu mets les pieds ! Tu viens de détruire une famille entière de radis !

– Mais, Pépé...

– Il n'y a pas de « Mais » Je suis en colère !

Pépé est vraiment en colère. Il ajoute :

– Et puis d'abord, on ne jardine pas avec des baskets, parce qu'après, il y a de la terre plein la cuisine. Et tu sais bien que Mémé Mathilde n'aime pas ça.

Tout en sarclant ses pieds de haricots, Pépé Adrien continue de ronchonner dans ses moustaches grises.

Moi, je l'aime bien, mon pépé Adrien. Avec lui, je fais tout ce que je veux dans le jardin... ou presque. J'ai le droit d'utiliser les outils, même la pioche.

D'ailleurs, plus tard, je serai jardinier, comme lui. Et, comme lui, je récolterai les plus beaux légumes du pays.

Mais aujourd'hui, j'avoue que je suis un peu vexé. Et même fâché. Pépé Adrien y est allé un peu fort avec moi.

Tout ça pour une minuscule poignée de radis. Il m'a traité ! Pépé Adrien m'a traité ! Et moi, je n'aime pas ça du tout ! Mais il m'a traité de quoi, au fait ? De « cucu... de cucu... quelque chose ».
Mince, je ne m'en souviens pas !

C'était pourtant un superbe gros mot ! Un gros mot énorme, gigantesque, et si terrible que je me serais fait un plaisir de le ressortir à l'école pour épater les copains. Parfois, je pense que Maman n'a pas tout à fait tort. Elle me dit que j'apprends de bien mauvaises manières avec Pépé Adrien, et que si ça continue, finies les vacances à la campagne !

« Cucu... quelque chose... » *Aïe, aïe, aïe !* Si maman avait entendu ça !

Agenouillé sur une planche, Pépé Adrien soulève les feuilles sous lesquelles se dissimulent de beaux cornichons.
Il rouspète encore :
– Ah ! Les cochons de cornichons ! Ils sont allés se cacher dans les coins ! Les coquins !
Moi, je ne les aime pas, les cornichons. Je préfère les fraises et les framboises. Je me demande parfois pourquoi Pépé Adrien se casse la tête à faire pousser des horreurs pareilles !

Mais pour l'instant, je n'ai qu'une idée en tête. Je voudrais que Pépé Adrien redise l'énorme gros mot de tout à l'heure. Il faut à tout prix que je trouve une astuce pour le lui faire sortir. Ça ne va pas être facile, car Pépé Adrien est malin. Et puis c'est un champion de gros mots. Il en connaît des millions. Il répète rarement deux fois le même. S'il allait à l'école, Pépé Adrien serait, sans conteste, le plus fort de ma classe.

La tête en l'air et mine de rien,
je me prends le pied dans l'anse de son panier,
et je renverse tous ses cornichons.
Mais pépé Adrien me sort tout juste un :
– ***Espèce de grosse citrouille !***

Alors je laisse tomber la pelle sur ses rangs de tomates. Il s'exclame :
– ***Nom d'un haricot géant !*** Tu vas tout casser !
Cornegidouille de cornegidouille !

Je cueille une pomme verte en passant.
Il s'écrie :
– ***Tête de mule !*** Vas-tu les laisser mûrir avant de les cueillir ? ***Saperlipopette !***

Il regarde ensuite sa montre et soupire :
– Midi... Si c'est pas l'heure du repas, alors qu'est-ce que c'est ?
Il jette un coup d'œil sur son jardin et ajoute :
– Et puis tu es en train de tout me massacrer. On croirait qu'il y a eu la guerre, là-dedans.

On peut dire que c'est l'échec complet. Comment s'y prendre pour lui faire dire enfin ce gros mot extraordinaire ?

Après le repas, Pépé Adrien se contente d'un superbe : « ***Nom d'un canon de bazooka*** » quand je le bats aux dominos. Mais hélas, toujours pas de « cucu... quelque chose ».
– Branle-bas de combat ! s'écrie Pépé Adrien après sa sieste. Il est temps de retourner au jardin.
Là, c'est à moi de jouer !

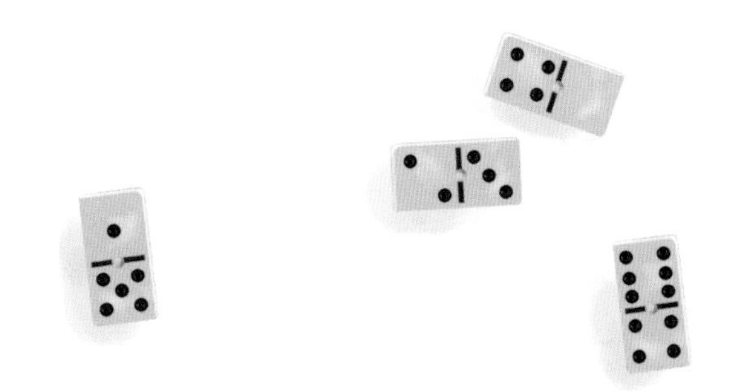

Pépé Adrien va chercher les outils dans la remise.
– Pelle, faux, binette, râteau. Et surtout un bon chapeau, car, il va faire chaud, chantonne-t-il en enfonçant sa casquette.

Il me donne le râteau et me dit :
– Cet après-midi, mon petit bonhomme, on va s'occuper de ton potager. Et on va semer des...

– Des haricots ?
– Hum, non !
– Alors des petits pois ?
– Pas du tout ! Aujourd'hui nous semons des cucurbitacées !
Je n'en reviens pas. Je répète :
– Des cu-cur-bi-ta-cées !
– Tiens, prends ce paquet. L'année dernière, j'ai gagné un concours avec ces graines-là.
Mais je ne l'écoute plus. Pépé Adrien vient de redire le gros mot extraordinaire, comme ça, sans se fâcher. Tout bêtement…
J'attrape le paquet de graines et je suis du doigt les indications.
C'est écrit :
Graines de citrouille - Cucurbitacée
Variété vigoureuse, semi-tardive
(Semer de mai à août en pleine terre).

Je me mets à danser en chantant :
– ***Cucurbitacées ! Cucurbitacées ! Cucurbitacées !***
Et toutes les graines de cucurbitacée jaillissent hors du paquet.
Cette fois, Pépé Adrien n'est vraiment pas content. Il devient tout rouge et s'écrie :
– ***Espèce de cornouiller !*** Je n'ai pas besoin d'un clown dans mon potager. File d'ici, avant que j'explose !

Pas question d'insister.
Je cours vers la barrière. Je vais aider Mémé Mathilde à faire ses confitures.

Une fois de plus, Pépé Adrien est fâché contre moi. Mais quand même, de là à me traiter ! Mais il m'a traité de quoi au fait ? De « cor… de cor… de cor… quelque chose » !

L'oiseau de pluie

Monique Bermond, illustrations de Kersti Chaplet

L'oiseau de pluie, perché sur le grand tamarinier, chantait de mélancoliques *pluipluiplui* ! Banioum le regarda longuement... Il réfléchissait...

Puis il alla trouver sa grand-mère.
– Grand-mère, dit-il, si nous avions un oiseau de pluie à nous, crois-tu que nos champs seraient arrosés quand nous le voudrions ?
La grand-mère hocha la tête, et répondit sans hésiter :
– Bien sûr ! car l'oiseau ne chanterait que pour nous. Les récoltes seraient abondantes, il n'y aurait jamais de famine !

Mais Banioum voulait en savoir davantage. Il alla trouver son père.
– Père, dit-il, si nous avions un oiseau de pluie dans notre maison, crois-tu que nos champs seraient arrosés quand nous le voudrions ?
Le père réfléchit quelques instants, puis répondit :
– Non, je ne le pense pas. Les vieux du village racontent beaucoup de légendes... Faut-il croire tout ce qu'ils disent ?

Mais Banioum voulait en savoir davantage. Il alla trouver le Grand-Sage :
– Grand-Sage, dit-il, si nous avions un oiseau de pluie dans le village, crois-tu que les champs seraient mieux arrosés ?
– Oui, sans doute, car cet oiseau sait quand la pluie va tomber... Il sait aussi quand elle doit s'arrêter ! L'eau ferait pousser les plantes, la rivière ne serait jamais à sec, il n'y aurait plus d'épidémies... Mais qui peut posséder un oiseau de pluie ?

Banioum en savait suffisamment cette fois. « C'est bon, se dit-il, j'irai chercher un oiseau de pluie ! »

Et le lendemain, dès l'aube, il se mit en route dans la brousse. Il marchait depuis quelques instants seulement lorsqu'il entendit une voix moqueuse l'interpeller :
– Où vas-tu Banioum ? Où vas-tu Banioum ?
Levant la tête, Banioum aperçut un perroquet à travers les branches d'un cédratier.
– Je vais à la recherche d'un oiseau de pluie.
– Je n'aime guère cet oiseau qui se mêle toujours de chasser le soleil. Alors si tu veux, je peux t'aider ! Je sais très bien imiter son cri. Écoute : ***pluipluiplui*** !
– En route donc !

Et Banioum poursuivit son chemin en compagnie du perroquet. Quelques instants plus tard, ils rencontrèrent un singe.
– Bonjour Banioum, bonjour perroquet ! Où allez-vous ainsi dans la brousse ?
– Nous cherchons, nous cherchons... euh...
– Un oiseau de pluie, dit Banioum.
– Vraiment ? Alors, je vais avec vous, je peux vous être utile : je sais fabriquer des pièges qui attrapent des oiseaux de pluie.
– Tu ne les aimes pas ?
– Oh ! ni plus ni moins que les autres ! Mais s'il y a un bon tour à jouer, je suis toujours content.
– En route donc !

Au bout de quelques heures, ils arrivèrent au pied d'un baobab.
– Arrêtons-nous ici, dit le singe.
Il fabriqua un piège, et le perroquet, caché dans les branches de l'arbre, se mit à chanter de gais ***pluipluiplui*** ! Il fallait attendre qu'un oiseau de pluie se décidât à venir.

Banioum s'assoupit.
Il fut réveillé en sursaut par le perroquet qui piaillait :
– Ça y est, il est pris, il est pris !
L'enfant trouva dans le piège l'oiseau qui se débattait. Il le mit dans son sac, et reprit le chemin du village.

Lorsqu'il fut arrivé, il remercia le perroquet... le singe... et prit congé d'eux.
Il construisit une belle cage à l'oiseau.
Il l'y enferma, et tout le village vint l'admirer et lui demander d'appeler la pluie.
Mais l'oiseau se contentait de pousser de temps à autre un petit cri plaintif.

Des jours et des nuits passèrent : l'oiseau ne chantait pas. Les gens du village ne venaient plus voir l'oiseau. Banioum attendait, Banioum espérait toujours.

Les semaines passèrent. Les champs du village et ceux d'alentour se desséchèrent au point que la terre se fendit et se craquela.
L'oiseau ne chantait toujours pas.
Plus personne ne venait voir Banioum et son oiseau.

Alors, Banioum se rendit chez le Grand-Sage.
Le Grand-Sage attendait Banioum ; il le fit entrer dans sa case, et ressortit en fermant la porte derrière lui.

Avant la tombée de la nuit, il délivra l'enfant,
et lui demanda :
– Pourquoi es-tu en larmes, Banioum ?
– Parce que j'avais peur là-dedans !
– Pourquoi as-tu pleuré au lieu
de chanter, Banioum ?
– A-t-on envie de chanter quand on est
enfermé ?
– C'est bon, Banioum. Maintenant, rentre
chez toi, et occupe-toi de ton oiseau.

Banioum rentra chez lui, prit la cage,
la déposa devant la case, ouvrit la porte,
et sortit délicatement l'oiseau en murmurant :
– Oiseau, mon cher oiseau, va... va...
L'oiseau tourna la tête, regarda l'enfant,
secoua deux ou trois fois ses ailes,
puis s'élança avec de joyeux ***pluipluiplui***,
d'un vol si rapide, qu'il ne fut bientôt
plus qu'un petit point bleu là-haut,
très haut dans le ciel !

Et sur le village de Banioum une pluie chaude
et bienfaisante se mit à tomber.

Le fils qui sauva son père

Raconté par Robert Giraud d'après la tradition nanaï de Sibérie, illustrations de Gwen Keraval

Dans un village du peuple nanaï, dans le sud de la Sibérie, le chasseur Bator s'apprêtait à partir à la chasse.
Son fils Tchébé était ce matin-là le plus heureux des garçons. Pour la première fois son père l'emmenait avec lui.

Bator prit son arc et ses flèches, et il chargea Tchébé de porter les sacs où ils mettraient leurs prises.
Bator espérait tuer un renne ou au moins une chèvre sauvage. Il n'était pas question, avec son jeune fils, de s'attaquer à un ours.

Comme les deux chasseurs longeaient un marécage, ils entendirent les bramements désespérés d'un renne. L'animal s'était englué dans la boue du marais. Plus il se débattait, et plus il s'enfonçait.
Bator dit à son fils :
– Allons-nous-en. On ne tue pas une bête incapable de se défendre.

Tchébé lui fit remarquer :
– Père, c'est bien de ne pas vouloir le tuer. Mais nous pourrions essayer de faire plus pour lui.
– Quoi par exemple ?
– Eh bien, le tirer du marécage !
– Tu as raison, fils. Au travail !

En posant des branches sur la boue, Bator et son fils s'approchèrent du renne.

Ils réussirent à dégager ses pattes et l'aidèrent à regagner la terre ferme.

Une fois libéré du marécage, le renne leur dit :
– Vous m'avez sauvé la vie, je ne l'oublierai jamais. Si un jour vous êtes en danger, appelez-moi. Je viendrai à votre secours.

Les chasseurs se remirent en route.
Un peu plus loin, ils s'arrêtèrent pour souffler un peu. Comme ils mangeaient un morceau, assis sur un tronc d'arbre, Tchébé aperçut une fourmi coincée sous une branche et qui luttait pour se dégager. Il eut pitié d'elle, souleva la branche et rendit à la fourmi sa liberté.
La petite bête lui dit :
– Merci de m'avoir libérée. Je te dois la vie. Si un jour je peux t'être utile, appelle-moi et je t'aiderai à mon tour.

Ensuite, les chasseurs suivirent le grand fleuve Amour. Sur la rive un énorme esturgeon battait des nageoires. Le courant l'avait jeté là et il était incapable de regagner l'eau. Bator se dit que c'était là une proie toute trouvée qui fournirait de la nourriture pour toute leur famille. Les Nanaïs sont friands de poissons.
Mais Tchébé n'était pas d'accord :
– Père, ce gros poisson n'est pas à nous, nous ne l'avons pas pêché. Ce ne serait pas juste de profiter de son malheur. Remettons-le plutôt à l'eau.

Bator et son fils s'approchèrent de l'esturgeon et, en poussant de toutes leurs forces, ils le firent glisser vers l'eau.
L'esturgeon, une fois replongé dans le fleuve, leur dit :
– Vous m'avez sauvé. Sans vous, je serais mort. Si vous êtes un jour en difficulté, appelez-moi et je viendrai vous aider.

Le père et le fils continuèrent leur chemin et arrivèrent ainsi dans un village qu'ils ne connaissaient pas. Des hommes, la mine sombre, les entourèrent, leur enlevèrent leurs armes et les conduisirent à leur chef.
Le chef était furieux :
– Qui vous a permis de venir chasser sur mes terres ? Vous serez punis de votre audace. Toi, dit-il à Bator, tu vas perdre la vie, et le garçon deviendra mon esclave.
Tchébé, alors, se jeta aux pieds du terrible chef :
– Pitié pour mon père ! Il ne savait pas que nous étions sur tes terres. De plus, nous n'avons rien attrapé. Tu vois, nos sacs sont vides. Je ferai tout ce que tu voudras, je veux bien être ton esclave, mais laisse mon père vivre !
Le chef décida alors :
– Je vais t'imposer trois épreuves. Si tu les accomplis, vous repartirez libres. Sinon vous mourrez tous les deux.
– Je suis prêt, répondit Tchébé. Ordonne !

Le chef fit apporter une paire de bottes en fer.
– Tu vas mettre ces bottes. Tu as jusqu'à demain matin pour les user complètement à force de marcher.

Tchébé chaussa les bottes et sortit du village. Aussitôt il appela le renne. Celui-ci accourut. Le garçon enfila les bottes sur les longues pattes de l'animal.
Le renne courut et sauta toute la nuit sur un terrain rocailleux.
Le lendemain matin, il ne lui restait plus aux pattes que les tiges des bottes. Les semelles n'avaient pas résisté.

Tchébé se remit aux pieds ce qui restait des bottes et retourna voir le chef.
Celui-ci écarquilla les yeux de surprise.
Mais il dit au garçon :
– Je ne sais comment tu t'es tiré de cette épreuve. Mais maintenant mon serviteur va répandre dans la forêt deux sacs de millet. Tu devras d'ici ce soir ramasser tous les grains et les remettre dans les sacs.

Une fois les sacs vidés et le serviteur reparti, le garçon appela la fourmi. Celle-ci fit venir toutes les fourmis du voisinage, et elles se mirent toutes bravement au travail.
Le soir venu, elles avaient rassemblé tous les grains en deux gros tas que le garçon n'eut aucun mal à remettre dans les sacs.

En voyant Tchébé revenir les deux sacs sur son dos, le chef grinça des dents de dépit.

Mais il dit au garçon :
– On va voir si tu seras aussi fort pour la troisième épreuve. Mon père, il y a bien longtemps, a perdu un anneau d'or en se baignant dans l'Amour. Tu as jusqu'à demain pour le retrouver.

Le garçon se dirigea vers le fleuve et appela l'esturgeon. Celui-ci rassembla tous les poissons des environs et ils se mirent à fouiller le fond de l'eau.
Quelques heures plus tard l'un des poissons retrouva l'anneau et l'esturgeon le remit à Tchébé.

Le garçon le remercia chaleureusement et retourna au village.

Le chef était furieux de constater que le garçon s'était sorti de toutes les épreuves, mais en même temps il était heureux d'avoir retrouvé cet anneau d'or qui lui venait de son père. Il finit par dire :
– Un chef tient toujours sa parole.
On va vous rendre vos armes. Vous êtes libres. Mais ne vous avisez pas de revenir sur mon territoire. La prochaine fois je serai sans pitié !

Pendant ce temps, la mère s'inquiétait de ne pas voir revenir son mari et son fils. Elle savait que Bator connaissait bien la forêt et ne pouvait s'être égaré. Au troisième jour d'absence, elle pensa qu'ils avaient été dévorés par des bêtes sauvages et qu'elle ne les reverrait jamais. Elle s'enferma chez elle en pleurant.

Mais soudain Bator et Tchébé apparurent sur le seuil. La mère se jeta à leur cou. Bator raconta à leurs parents et voisins leur aventure et félicita son fils.

– Tchébé a écouté son cœur, dit-il. Il a eu pitié d'animaux en difficulté, et c'est cela qui nous a sauvés. Je suis fier de lui.

Un loup... dans ma chambre ?

Michel Piquemal, illustrations de Vanessa Gautier

Un soir, juste au moment de s'endormir, Benjamin aperçoit une drôle de tache grise sur la tapisserie.
« Tiens, on dirait un loup ! »

Benjamin approche son œil tout près, tout près.
« Mais oui, c'est un loup ! Il y a un loup dans la tapisserie. »
Vite, il appelle sa maman :
– Regarde maman, là, entre les étoiles, il y a un loup !
– Allons, lui dit-elle, ce n'est rien, rien qu'une tache, une toute petite tache de rien du tout ! Dors, Benjamin ! Dors !

Mais non, c'est bien un loup. Benjamin en est certain. Chaque nuit, il l'entend qui appelle :
« *Hou ! hou ! hou !* »
Le loup est sans doute prisonnier. Il veut sortir. Mais que peut faire Benjamin ?

Il n'a pas de pouvoirs magiques pour le délivrer. Alors, il se contente de lui dire :
– Chut ! Sois gentil ! Je veux dormir.
Et le loup se tait.

Mais, au beau milieu d'une nuit de pleine lune, le loup se remet à hurler :
« *Hou ! hou ! hou !* »
Les yeux tout pleins de sommeil, Benjamin se tourne vers la tapisserie :
– Mais qu'est-ce que tu as ? Allons, tiens-toi tranquille !

Cela n'y fait rien. Le loup continue à pousser ses :
« *Hou ! houou ! houououou ! houououou !* »
Et ils sont si tristes, si plaintifs que Benjamin en est très ému.
« Il a peut-être un gros chagrin » se dit-il.
– Tu veux un câlin, mon loup-garou ?
Il se tourne vers le papier peint et... *Smack !* il embrasse la tête du loup.

Miracle !
Voilà le loup délivré. Il sort de la tapisserie et vient faire des cabrioles sur la moquette de la chambre.
Benjamin n'est pas très rassuré. Il regarde, avec des yeux ronds, ce gros animal tout poilu, aux crocs brillants et pointus.
Ne raconte-t-on pas, dans les histoires, que les loups mangent les petits enfants ?
– Si... si vous avez faim, Monsieur le... le loup, bégaye-t-il, il reste des hamburgers au... au congélateur.
– N'aie pas peur, lui dit le loup en riant. Je ne vais pas te croquer.
– Vous êtes sûr de ne pas avoir un petit creux dans votre gros ventre ? Il y a aussi des boîtes de pâté dans le placard...
– Non, je te dis... un méchant sorcier m'avait enfermé et ton baiser m'a délivré. Je veux te récompenser.
Le loup sort de sa poche une petite image...
– Mais c'est votre photo ! s'exclame Benjamin.
– Tout juste, répond le loup.
Il lèche le dos de l'image avec sa grosse langue rouge et... *Clac !* il la colle sur le mur, juste à l'endroit d'où il est sorti.

– Tu vois, dit-il au petit garçon, c'est un loup mangeur de cauchemars. Il veillera sur toi. Si un mauvais rêve vient t'embêter... *Crac !* il n'en fera qu'une bouchée.
– Oh, chouette ! s'écrie Benjamin. Comme ça, je n'aurai plus jamais peur, même quand il y aura le tonnerre et les éclairs...

Benjamin voudrait le remercier, lui serrer la patte. Mais *pfffttt !* la fenêtre s'est ouverte et le grand loup a déjà disparu.
Alors, Benjamin fait un gros bisou à l'image de la tapisserie et se rendort, en souriant.

La grande ourse d'Ikomo

Agnès de Lestrade, illustrations de Nicolas Duffaut

Dans le pays d'Ikomo, la neige recouvre tout. Les jours sont aussi froids que les nuits et les maisons sont construites au creux de la glace.
Chaque jour, Ikomo chausse ses bottes en poils de rennes et sort pour pêcher. Depuis que son père est mort, c'est lui qui nourrit sa famille.

Balaya, la petite sœur d'Ikomo est très malade ; pour guérir, elle doit manger autre chose que des harengs salés.

Aujourd'hui, le petit garçon ira pêcher au-delà de la montagne de sel ; c'est là-bas que l'on trouve les saumons les plus gras.

Ikomo sait qu'il est interdit d'aller derrière la montagne, parce que c'est le territoire de la grande ourse blanche. On raconte que sa mâchoire est si puissante qu'elle peut dévorer un homme en moins d'une minute. Mais Ikomo n'a pas le choix. S'il veut sauver Balaya, il doit faire preuve de courage.

La neige vole autour de lui, l'empêchant d'ouvrir les yeux. Derrière son écharpe de laine, son nez est gelé.
Mais Ikomo avance, malgré le vent.
Bientôt, il aperçoit la montagne de sel.
Elle n'est pas aussi grande qu'on le dit.
Lentement, les bottes d'Ikomo s'enfoncent dans la neige molle.

En arrivant au sommet, il découvre un désert blanc, qui s'étend à perte de vue. Il prend sa petite planche de bois et s'assied dessus. Le vent lui fouette le visage, et Ikomo rit, en glissant sur la neige.
Aucun ours à l'horizon, pas la moindre empreinte de pas.

Ikomo s'approche de la rivière gelée, creuse un trou avec sa pioche et plonge sa ligne.
Aussitôt, un énorme saumon rose et frétillant s'agite au bout de sa canne.
Ikomo n'en croit pas ses yeux !
Bientôt, c'est un deuxième et un troisième qui frétillent au bout de son hameçon.

Tout heureux, il enfouit les poissons au fond de son grand sac et s'apprête à prendre le chemin du retour.
Soudain, Ikomo sent une haleine chaude qui souffle dans son cou. Il se retourne : la grande ourse blanche se dresse devant lui. Debout sur ses pattes arrière, l'animal est cinq fois plus grand que lui. Sa fourrure blanche est si épaisse qu'elle tremble à chacun de ses mouvements.
Ikomo se fige. L'ourse s'approche en grognant.
Les griffes sorties, elle s'apprête à lui sauter dessus.
Sans réfléchir, l'enfant lance un saumon.
L'ourse bondit, l'attrape dans sa gueule pendant qu'Ikomo s'enfuit dans la neige.

Il trouve refuge dans une grotte creusée au milieu de la glace. Il se glisse à l'intérieur et retient sa respiration.
« Je vais attendre la nuit pour sortir » pense-t-il en serrant contre lui ses deux précieux saumons.
C'est alors qu'il entend un cri derrière lui. Il se retourne et aperçoit, dans la pénombre, un ourson blanc. Sa patte semble coincée dans un trou et il gémit doucement.
Du sang coule sur son poil.

Ikomo attrape un couteau dans sa poche et tente de le dégager. Mais l'ourson tire sur sa patte et grogne de plus en plus fort.
– Je vais t'aider, n'aie pas peur, chuchote Ikomo.
Et la patte blessée est enfin libérée.

Les cris de l'ourson ont attiré sa mère, la grande ourse blanche. Bientôt, sa gueule effrayante apparaît. Ikomo pousse un cri : cette fois-ci, il est prisonnier de son refuge de glace.
Tandis que l'ourson se blottit contre sa mère, Ikomo pense qu'il va mourir, dévoré par la grande ourse blanche de la montagne de sel. Comme tous les pêcheurs avant lui.
« Adieu maman, adieu Balaya ! » murmure Ikomo.
La grande ourse blanche avance son énorme patte et le saisit. Ikomo ferme les yeux. L'animal ouvre sa gueule et la referme aussitôt. Ikomo a le temps d'apercevoir ses dents pointues et tranchantes. Puis elle pose l'enfant délicatement sur son dos et se dirige d'un pas lourd vers la montagne.

La nuit est tombée quand Ikomo aperçoit son igloo. La grande ourse blanche dépose Ikomo à l'entrée du village.
Puis elle disparaît dans la neige.

Depuis, Ikomo garde son secret précieusement caché dans son cœur. Chaque jour, de l'autre côté de la montagne de sel, la grande ourse blanche l'attend et veille sur lui.

Et Ikomo rapporte les saumons les plus gras, qu'il partage avec les habitants des autres igloos.

Le printemps est revenu et Balaya a guéri. Peut-être qu'un jour, Ikomo lui présentera son amie : la grande ourse blanche de la montagne de sel.

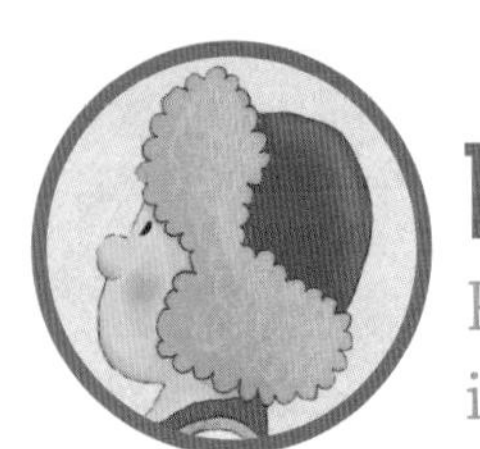

L'enfant qui défia le tigre

Raconté par Robert Giraud d'après la tradition sibérienne, illustrations d'Anne Buguet

Autrefois, près du grand fleuve Amour, en Sibérie, les habitants des villages exerçaient le métier de trappeurs.
Ils prenaient aux pièges des animaux et vendaient leur fourrure, dont on faisait ensuite des manteaux, des toques, des écharpes.
Ils avaient un très grand respect pour le tigre. Ils pensaient que c'était le maître tout-puissant de la forêt et qu'il était doué de pouvoirs magiques.

Un jour, dans l'un de ces villages, un trappeur s'apprêtait à partir en forêt avec son fils aîné. Il voulait piéger des zibelines, dont la fourrure est chaude, légère et soyeuse. Seuls les rois et les princes en portaient.

Mais soudain, l'homme tomba malade.
Le fils aîné partit donc sans lui. Le père lui permit d'emmener son jeune frère pour l'aider, à condition que celui-ci obéisse bien à son aîné et ne fasse pas d'imprudences.

Une fois dans la forêt, les deux frères se bâtirent une hutte pour se protéger du froid et des bêtes sauvages pendant la nuit.

Puis ils firent du feu et se préparèrent à manger.
Pendant le repas, l'aîné rappela à son cadet :
– Tu sais ce que Papa a dit. Beaucoup de dangers nous guettent dans la forêt. Tu dois être prudent, rester toujours auprès de moi et faire tout ce que je te dirai.
Le garçon, qui en avait assez qu'on le prenne pour un enfant, répondit :
– Oh, tu sais, je suis déjà grand et fort, je ne crains personne, même pas le tigre. Si le tigre venait ici nous embêter, je l'assommerais à coups de gourdin.
Le frère aîné baissa la voix :
– Plus bas ! Ne parle pas si fort ! Le seigneur tigre pourrait t'entendre et sa vengeance serait terrible !

Au matin, le grand frère, pour sortir, écarta les pans de la toile qui fermait la hutte, mais il se rejeta aussitôt en arrière. Un énorme tigre était couché juste devant l'entrée.

Les frères se mirent à attendre qu'il s'en aille. De temps en temps, à tour de rôle, l'un d'eux jetait un coup d'œil dehors. Mais les heures passaient et le fauve était toujours là. Il y demeura jusqu'à la nuit et le lendemain matin, au réveil, le tigre n'avait toujours pas bougé.

L'aîné se décida à glisser la tête par l'ouverture de la hutte et à demander au redoutable animal ce qu'il voulait.

Le tigre répondit :
– De toi, je ne veux rien. Ni service, ni cadeau. Tout ce que je veux, c'est me mesurer à ton gamin de frère, qui prétend être capable de m'assommer.
Le jeune trappeur ne pouvait laisser sortir son frère ; il savait qu'il serait dévoré en deux coups de dent.

Une journée passa encore et les provisions s'épuisaient. Le jeune garçon dit à son aîné :
– Écoute-moi, frère ! Si nous ne faisons rien, nous mourrons de faim et de soif. Il m'est venu une idée pour échapper au tigre. Le temps est clair, le soleil étincelant. Laisse-moi tenter ma chance !
L'aîné accepta.
Le cadet prit une hache et sortit en tenant son arme devant lui. Les rayons du soleil se reflétèrent sur le métal de la lame et aveuglèrent le tigre, qui recula en clignant des yeux et en secouant la tête de droite et de gauche.
Le gamin en profita pour bondir vers un vieux bouleau au tronc puissant qui se dressait juste en face de la hutte.
Il était leste et y grimpa à toute vitesse pour se mettre hors de portée du tigre.
L'aîné, de son côté, courut vers le village chercher du secours.

Le tigre, furieux de s'être laissé surprendre, s'élança à son tour vers l'arbre. Il s'éleva d'un bond prodigieux et parvint à planter

ses crocs dans le talon de la botte du garçon, mais celle-ci glissa du pied et le fauve retomba lourdement. Ses griffes labourèrent l'écorce sans pouvoir s'y accrocher, et sa tête se retrouva coincée à la naissance d'une grosse branche.
Suspendu par le cou, le fauve ne pouvait plus respirer. Plus il gigotait, et plus il s'étouffait.

Le garçon, alors, redescendit par l'autre côté du tronc, hors de portée des terribles griffes, reprit sa hache et remonta pour fendre la branche où était pendu le tigre.
Celui-ci retomba sur le sol, à moitié mort.
Le gamin partit chercher de l'eau au ruisseau et en vida un plein seau sur la tête du fauve.
Celui-ci s'ébroua et s'assit, encore chancelant, sur ses pattes de derrière.
Une fois qu'il eut retrouvé ses esprits, le tigre dit au garçon :
– Je t'ai entendu te vanter, cette nuit, car je sais tout ce qui se passe dans la forêt, mon royaume, et j'ai décidé de te punir. Non, tu n'es pas le plus fort, mais tu es astucieux et courageux, je le reconnais. Et surtout tu es généreux. Tu aurais pu me laisser pendu dans l'arbre, mais tu m'as délivré. Et cela, je ne l'oublierai pas.

Sur ces paroles, le redoutable fauve s'éloigna.

Quelques heures plus tard, le frère aîné revint accompagné de plusieurs villageois, armés de haches, d'arcs et de piques. Comme les trappeurs atteignaient la clairière, le tigre y apparut lui aussi, entouré de sa nombreuse famille.
Chacun des fauves portait dans sa gueule un cadavre de zibeline.

À tour de rôle, tous vinrent déposer leur cadeau aux pieds du garçon puis se retirèrent en silence dans les profondeurs mystérieuses de la forêt.

Le jeune garçon dit alors aux villageois :
– Nous allons nous partager ces fourrures car, vous aussi, vous les méritez. Vous n'avez pas hésité, pour me sauver, à vous mettre en route pour affronter le seigneur tigre. Prenez-en chacun une, et je garderai celles qui resteront.

Les villageois firent en sorte de laisser les plus belles pour le garçon.
Celui-ci revint ainsi au village avec son frère et plusieurs peaux superbes.

Grâce à la vente des fourrures, le garçon mit sa famille pour des années à l'abri du besoin. Mais la plus grande joie des parents, pourtant, fut de retrouver leurs enfants vivants. Pour célébrer leur retour, ils donnèrent une grande fête dont on se souvint longtemps dans le village.
Certains disent même que le tigre vint y assister de loin, dissimulé dans les ramures épaisses d'un grand chêne.

Sauvons le père Noël !

Emmanuel Trédez, illustrations de Louis Alloing

C'était le soir du 23 décembre. Ces derniers jours, la neige était tombée abondamment sur la région, et les bonshommes de neige pointaient le bout de leur balai.
Les décorations de Noël fleurissaient dans les rues du village, dans les vitrines des boutiques, et derrière les fenêtres des maisons.
Les enfants se réjouissaient déjà à l'idée des cadeaux qu'ils allaient recevoir.

Le père Noël, lui, semblait soucieux. Il se mit au lit en repensant à tous les contretemps qui avaient perturbé sa tournée, la nuit du réveillon, depuis des siècles.
L'année précédente, ses lutins s'étaient mis en grève : ils demandaient à travailler 35 heures par semaine. Le père Noël avait dû empaqueter, lui-même, un nombre incalculable de cadeaux. Heureusement, sa femme Ernestine et sa fille Lætitia lui avaient prêté main-forte !
Deux ans auparavant, on avait empoisonné ses rennes. Rien de dramatique, juste une bonne colique... Mais le père Noël avait dû réquisitionner des chiens de traîneau, et leur apprendre à voler.
Pas facile en quelques heures !
Et il y a trois ans, son traîneau, mal garé, avait été enlevé et mis à la fourrière...
Les policiers ne font pas de cadeau, même pour Noël.

Le père Noël en arrivait à se demander si saint Nicolas n'était pas derrière tout ça.
Ne se disputaient-ils pas, depuis toujours, la distribution des cadeaux dans certains pays ou certaines régions ?
Non, ça ne tenait pas debout. Saint Nicolas n'aurait jamais fait une chose pareille.
Ce devait être le hasard... le hasard qui s'acharnait sur lui... Que lui réserverait-il, cette fois ?

À son réveil, le 24 décembre, le père Noël ne vit d'abord rien d'anormal. Les lutins avaient l'air de bonne humeur, les rennes étaient en pleine forme, et le traîneau à l'abri. Il comprit son malheur en allumant son ordinateur. Un virus informatique, connu sous le nom de Joyeux Noël, avait infecté son disque dur. Le pauvre homme ne pouvait plus ouvrir un seul de ses fichiers. Et le drame, c'est qu'ils contenaient la liste des cadeaux de Noël, enfant par enfant, avec leurs adresses. Sans ces précieux documents, le père Noël ne s'y retrouverait jamais ! En effet, depuis qu'il avait acheté un ordinateur, il ne faisait plus assez travailler sa mémoire, jadis prodigieuse. Et maintenant, il avait beau se concentrer, il ne se rappelait pas le quart de la moitié des cadeaux à distribuer. En vingt siècles de carrière, il avait eu toutes sortes d'ennuis, mais, cette fois-ci, le père Noël ne voyait aucun moyen de s'en sortir.

Au bord du désespoir, il demanda conseil à sa femme et sa fille.

– J'ai un copain à l'école... Maxime... commença la fillette de huit ans. C'est un as de l'informatique. Je suis sûre qu'il pourra t'aider, Papa.

– Amener quelqu'un ici ! Tu n'y penses pas, Lætitia ! Tu sais bien que mon identité doit rester secrète.

– Alors, emporte ton ordinateur chez le réparateur, suggéra Ernestine.

– Pour qu'il ait accès à mes fichiers ? Impossible, voyons !

La mère et la fille furent vite à court d'idées. Devant leur impuissance, le père Noël tomba malade en l'espace d'un instant.
La mère Noël n'avait jamais vu son mari dans cet état : varicelle, rougeole, grippe… aucun virus n'avait pu, jusqu'ici, affaiblir le père Noël. Il avait fallu que l'un d'eux s'en prenne à son ordinateur pour l'atteindre enfin !

C'était la première fois qu'elle se faisait du souci pour lui. Elle pressentait que si elle ne trouvait pas vite une solution pour livrer les cadeaux, il ne s'en remettrait pas.
Quant aux enfants, quelle serait leur déception, le jour de Noël, lorsqu'ils découvriraient leurs chaussures… vides !
– Va trouver ton ami Maxime, souffla-t-elle à sa fille, et fais-le venir discrètement. Surtout, que ton père ne se doute de rien !

Après avoir exposé à Maxime la situation dramatique du père Noël, Lætitia lui demanda secours, mais son ami ne la prit guère au sérieux.
– Il y a au moins deux ans que je ne crois plus au père Noël, et toi, tu prétends être sa fille… Tu me prends vraiment pour un imbécile !
– Mais non, je te jure ! De toute façon, tu seras vite fixé.
– Bon, allons jeter un œil à cet ordinateur, mais gare à toi si tu me racontes des histoires !

La famille Noël habitait une maison un peu à l'écart du village. Lætitia n'y avait jamais invité aucun de ses camarades.
C'était interdit : son père ne voulait pas éveiller les soupçons sur sa véritable identité.
– Je te préviens, lui dit-elle, Papa ne doit pas savoir que tu es venu. Alors pas de bruit, s'il te plaît !

Dans un souci de discrétion, Lætitia fit passer Maxime par le garage. Un magnifique traîneau y était garé, prêt à être attelé. La petite fille adressa un signe de tête à Maxime, comme pour lui dire : « Tu vois, je ne t'avais pas menti. » Mais celui-ci était toujours aussi incrédule.
– N'importe qui peut avoir un traîneau !

Alors Lætitia lui montra par la lucarne un troupeau de cervidés, qui broutaient paisiblement dans le jardin.
– Quoi, des cerfs ? Et alors ?
– Pas des cerfs, des rennes ! Tu le fais exprès !

– Ça n'a rien d'extraordinaire ! On élève bien des autruches à deux pas d'ici !

Les enfants montèrent alors l'escalier.
Ils traversèrent la salle à manger,
et s'arrêtèrent devant une porte.
Une nouvelle fois, Lætitia réclama le silence.
– Chuuuut ! Papa est au lit, expliqua-t-elle.
Elle entrebâilla la porte, et s'assura que son père était bien endormi.
– C'est bon. Tu peux risquer un œil.
Un petit homme gros, avec une belle chevelure et une immense barbe blanches, ronflait bruyamment.
– Mais je le reconnais ! C'est Monsieur Léon ! Il tient l'auberge du *Renne blanc*. Je l'aperçois parfois en allant à l'école. Alors, c'est ton père ? Tu m'as bien eu !
– Mon pauvre Maxime, tu as le cerveau en compote ! LÉON... NOËL... Tu ne comprends donc pas ?
– Ben quoi ?
– LÉON à l'envers, ça fait NOËL ! Toute l'année, Papa est le père Léon, sauf le 24 décembre, où il devient le père Noël.
– Qu'est-ce que tu me chantes ! Tous les enfants savent que le père Noël ne travaille pas, qu'il habite au ciel, entouré d'une cour de lutins...
– Oui, enfin, ça, c'était avant qu'il ne rencontre ma mère. Je te raconterai... En attendant, suis-moi.

Lætitia et Maxime reprirent l'escalier,
et montèrent un nouvel étage.
La fillette ouvrit une autre porte.
– Tiens ! Tu peux les observer à ton aise,
tes chers lutins !

Dans une vaste pièce, une vingtaine de petits bonshommes, rondouillards et hirsutes, empaquetaient, enrubannaient, étiquetaient des cadeaux en tous genres : trains électriques, robots électroniques, poupées qui pleurent ou qui parlent, peluches de tous poils, consoles de jeux vidéo, panoplies de cow-boys et robes de princesse... et même des livres illustrés.
Lætitia en prit un au hasard.
– Encore un livre qui parle de Papa... enfin, du père Noël ! Et sans doute pas un mot de vrai...
Je ne sais pas où les auteurs vont chercher tout ça !

D'autres lutins prenaient les paquets, et les disposaient sur un monte-charge.

– On est juste au-dessus du garage. Les lutins sont en train de charger le traîneau.
– Tu ne leur as donc pas dit que ton père était souffrant ?
– Ne parle pas de malheur ! Tu imagines dans quel état ils seraient s'ils apprenaient la nouvelle !
– Et pour attribuer les cadeaux, comment procèdent-ils ?
– Ma mère leur a donné des indications. Elle a noté les quelques centaines de cadeaux dont elle se souvenait. Juste de quoi les faire patienter. Mais ils n'auront bientôt plus qu'à se tourner les pouces...

À ce moment-là, une petite femme énergique fit irruption dans la pièce. Elle portait un manteau semblable à celui du père Noël, des bottes, mais avait des talons, une ceinture...

– Ah ! Tu dois être Maxime, s'écria-t-elle, dès qu'elle aperçut le jeune garçon. Lætitia m'a beaucoup parlé de toi.
Sous son costume, Maxime reconnut Ernestine, la caissière du *Renne blanc*, qu'il apercevait de temps en temps au village.
– Bonjour, Madame Ernestine.
– Bonjour, Maxime. Tu sais, tu nous sauves la vie !
– Ne parlez pas trop vite ! Attendez que j'examine l'ordinateur.

Maxime réalisa soudain que la vie du père Noël était entre ses mains.
Quelle responsabilité ! Il en était à la fois très fier et drôlement impressionné.
– Bon, alors, au boulot ! Montrez-moi la bécane.

Maxime s'assit devant l'ordinateur du père Noël, et l'alluma. Lætitia prit place à côté de lui, confiante. Elle était sûre que son ami allait les sortir de là.
Tout ce qu'elle avait dit à Maxime, sur la double vie de son père, se traduisait dans ces dossiers nommés NOËL et LÉON, affichés sur l'écran de l'ordinateur.
Maxime cliqua tour à tour sur plusieurs fichiers, sans succès. Quand ils voulaient bien s'ouvrir, ils étaient illisibles.
Il n'y avait qu'une chose à faire, aller sur Internet, et se procurer un programme qui viendrait à bout de ce maudit virus.
Tandis qu'il naviguait d'un site à l'autre, Maxime relança Lætitia :
– Tu m'avais dit que tu me raconterais comment tes parents se sont connus.
– Oui, c'est une histoire incroyable !

Il y a dix ans, pour Noël, ma mère avait invité sa sœur et ses neveux. Tout le monde passa une merveilleuse soirée. Une fois la fête terminée, la petite famille s'en retourna chez elle et ma mère alla se coucher.
Quelques heures plus tard, elle fut réveillée par une chaleur étouffante. La maison était en feu. Sans doute, un court-circuit provoqué par une de ces guirlandes électriques...

Elle n'avait qu'un moyen d'échapper à l'incendie : se réfugier sur le toit, et crier de toutes ses forces, en priant pour qu'un voisin l'entende et prévienne les pompiers.
Mais il était quatre heures du matin, et le village était profondément endormi.
Par bonheur, le père Noël terminait sa tournée. Il aperçut la maison abandonnée aux flammes, et ma mère sur le toit.
Sans hésiter, il stationna son traîneau à hauteur du toit, mais cette fois, au lieu de descendre dans la cheminée, comme il l'avait fait quelques heures auparavant, il fit monter ma mère, et s'envola...

– Tu m'écoutes, Maxime ?
– Hein ? euh, pardon... je crois que j'ai trouvé quelque chose... Mais continue...

Depuis ce jour, ils ne se sont plus quittés. Papa, qui s'ennuyait dans les nuages, s'est installé au village, avec tous ses lutins, et il s'est mis à travailler. Pour faire comme tout le monde. Le père Noël est devenu Monsieur Léon... quelques années plus tard, je suis née.
– Maintenant, tu sais tout !
– Belle histoire ! commenta Maxime, rêveur, tandis qu'il téléchargeait un antivirus.

Au bout d'une minute,
il s'exclama triomphalement :
– Ca y est ! Les fichiers sont réparés !
Le père Noël est sauvé !
Bizarrement, au même moment,
le père Noël se réveilla. La fièvre avait disparu d'un seul coup. Maxime et Lætitia eurent juste le temps de s'éclipser.

Le père Noël entra dans le salon.
– Quelle heure est-il ? demanda-t-il à sa femme.
– Quatorze heures, Noël. Tu dormais si bien, je n'ai pas voulu te réveiller.

– Quatorze heures ? Mais c'est une catastrophe ! Avec tout ce que j'ai à faire… Et, horreur ! Mes fichiers sont illisibles.
– Illisibles ? Pas du tout. Je viens d'imprimer la liste des cadeaux, et nos lutins se sont mis au travail.
– Curieux, ça ! J'aurais juré que… Bah, j'ai dû faire un mauvais rêve, mais alors quelque chose d'horrible ! Je ne savais plus quels cadeaux je devais faire à quels enfants !
– Ne t'inquiète pas, va ! Chacun aura son cadeau, comme tous les ans. À propos, demanda la mère Noël, j'aimerais que tu réserves une belle surprise à Maxime…
– Le fils de l'horloger ?
– Oui… et à Lætitia…
– Tu sais que je n'aime pas avantager ma famille… Qu'ont-ils fait, ces deux-là, pour mériter un plus beau cadeau que les autres ?
– Ils ont sauvé un grand homme si tu veux savoir !
– Bien, j'ajouterais donc une console dans les chaussures de Maxime ; tous les enfants m'en réclament ! Et pour Lætitia ? J'imagine que tu as ta petite idée ?
– Oui, prends-la avec toi pour ta tournée. Rien ne pourrait lui faire plus plaisir qu'un tour en traîneau !

Petit Zèbre

Anne Fronsacq, illustrations de Gérard Franquin

Un petit zèbre se promène tout seul,
très loin, là-bas, dans la savane africaine.

Ce petit zèbre est malheureux parce
qu'il n'est pas comme les autres zèbres.
Il porte les raies noires à la place des raies
blanches, et les raies blanches à la place
des raies noires.

Un zèbre comme il faut doit avoir les raies
blanches et les raies noires comme ça
et pas autrement !

Les zèbres comme il faut se moquent
de Petit Zèbre :
– Il n'est pas comme nous !
– Il est ridicule !
– Il porte ses raies à l'envers !

– Pourquoi es-tu si triste, Petit Zèbre ?
demande la girafe.
– Les autres se moquent de moi parce que
je porte les raies à l'envers !
– Mais je te trouve très élégant comme ça !
dit la girafe.
– Moi aussi, dit la gazelle.

La nuit descend sur la savane africaine.
Petit Zèbre s'endort en se répétant tout bas :
« Je suis très élégant comme ça ! »

Petit Zèbre se met à rêver.
Petit Zèbre rêve... rêve...

Mais au matin, les zèbres comme il faut
se moquent à nouveau de lui :
– Regardez-le !
– Il est vraiment ridicule !

– Non, je ne suis pas ridicule ! dit Petit Zèbre.
Moi, je suis très élégant comme ça ! Vous,
vous êtes tous pareils, et ce n'est pas drôle !

– Mais, ne faites pas cette tête-là ! Venez plutôt
courir avec moi dans la savane africaine.

Très loin, là-bas, dans la savane africaine,
un petit zèbre noir et blanc se promène
avec un petit zèbre blanc et noir.

Victor Tropetit

Odile Hellmann-Hurpoil, illustrations de Pierre Bailly

Au pays du Bois-Joli, tous les habitants sont très grands et très occupés, sauf Victor. Il est si petit, si petit, que tout le monde l'appelle Victor Tropetit, et prend garde et soin de lui.

Victor aimerait être utile, lui aussi, mais jamais personne au pays n'a besoin de lui.

Lorsqu'il demande au fermier voisin :
– Veux-tu que je t'aide à rentrer les foins ?
Le fermier éclate de rire et répond :
– Voyons, Victor, tu es bien trop petit !
Tu disparaîtrais dans la prairie,
et on te ratisserait avec le fourrage !

Quand Victor propose à la fermière :
– Repose-toi donc un peu avant la traite des vaches, je vais finir de rincer les seaux et les bidons !
La fermière s'écrie :
– Non, non, Victor, tu es bien trop petit !
Si tu bascules dans un bidon, tu vas t'y noyer comme un moucheron !

Et quand Victor dit à la fille des fermiers :
– Je peux nourrir les poules et les dindons, pendant que tu nettoies les clapiers des lapins !
Celle-ci pousse des cris :
– Non, non, Victor, tu es bien trop petit !

Les poules te piétineront, et les dindons t'avaleront comme un vulgaire limaçon !

Alors, Victor se sent triste. Il s'ennuie. Il rentre dans son petit logis, et gobe tout crus les œufs de pigeons que la fille des fermiers lui a donnés en assurant : « Cela te fera grandir ! »
Mais Victor en doute...
Il mange aussi, sans appétit, les biscuits et la part de clafoutis que la voisine a posés devant sa porte. Puis, il va se coucher, un peu consolé.

Le lendemain, c'est jour de marché, peut-être aura-t-on besoin de lui !
Victor se lève de bonne heure.
Sur le chemin, il bute contre des salades et des radis. Il grimpe sur la charrette du maraîcher pour attacher les légumes qui glissent, mais le maraîcher bougonne :
– Descends de là, Victor, tu es bien trop petit ! J'irai plus vite sans toi.
En approchant de la grand-rue,
Victor entend l'aubergiste se lamenter :
– Oh ! là, là ! je suis en retard, et mon commis qui vient de me quitter !
Victor se précipite dans la salle :
– Ne te fais plus de souci, je suis là, moi !
Mais l'aubergiste crie :
– Hors d'ici, Victor, tu es bien trop petit ! Tu vas m'embarrasser !
Victor gagne la place du marché.
Là, les villageois s'agitent, s'interpellent, discutent du prix des fruits, des gâteaux à la chantilly, du kilo de radis...
Sauf Victor... Les larmes aux yeux, il est assis par terre, entre l'étal de la charcutière et celui du marchand de bonbons.
La charcutière lui fait signe :
– Victor, viens donc goûter ma tourte au jambon !

Mais, Victor ne répond pas,
Victor ne bouge pas, pas plus qu'il ne se lève
lorsque le marchand de bonbons l'appelle :
– Victor, je t'ai apporté des caramels,
comme tu les aimes !

Victor est plongé dans ses tristes pensées,
quand il est violemment bousculé.
C'est la panique parmi la foule et les marchands.
On murmure de partout :
– Balbuzard ! Le cruel géant Balbuzard,
seigneur de la contrée, arrive en compagnie
de son fils unique, Baluchon !
Sur son passage, Balbuzard renverse
les étals, saccage les denrées. Il ordonne
aux marchands de lui remettre la recette
de la matinée...

C'est alors que Balbuzard aperçoit Baluchon
étendu comme mort, entre les saucisses
et les jambons jetés à terre. Fou de douleur,
il hurle, menaçant :

– Si personne, ici, ne rend la vie à mon fils
chéri, je mettrai le pays du Bois-Joli
à feu et à sang...
Nul n'ose s'approcher.
Sauf Victor.

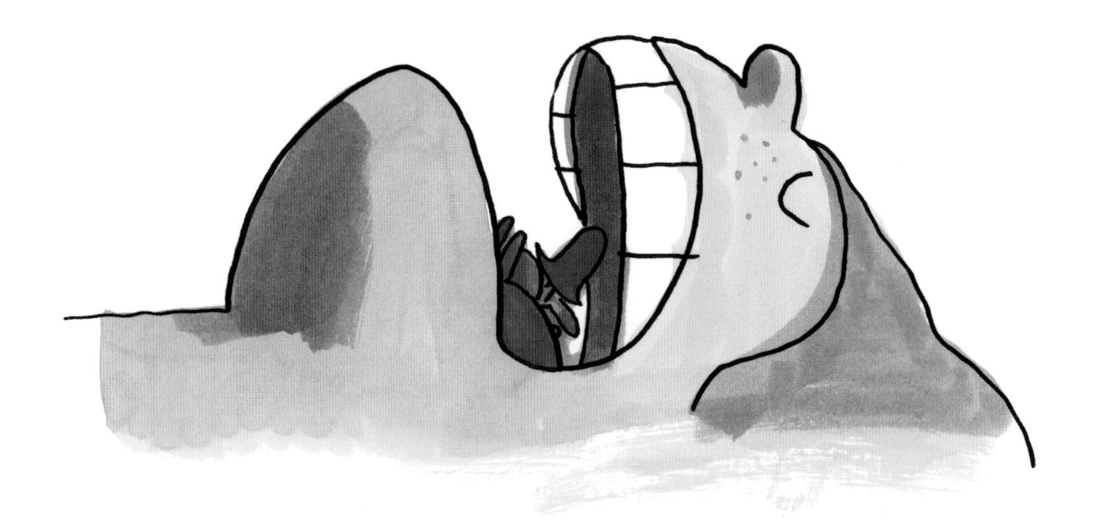

Victor entre presque entièrement
dans la bouche béante de Baluchon.
Alors, à pleines mains, il extrait du gosier
du jeune géant les bonbons agglutinés
qui y formaient un bouchon.
Lui seul avait vu Baluchon avaler tout rond
d'énormes poignées de bonbons !
Dès que la gorge de Baluchon est dégagée,
Victor se faufile au-dehors, sous les yeux
ébahis des gens du pays.

Baluchon retrouve sa respiration
et ses esprits.
Balbuzard, fou de joie, déclare :

– Par son sang-froid et son héroïsme,
ce jeune garçon a sauvé mon fils bien aimé
et par là même, vous autres, habitants
du Bois-Joli ! Qu'il en soit remercié !
Et, prenant Victor dans la main, il dépose
devant lui sa plus belle bague en or :
– Victor, je te nomme, commandeur
de l'ordre des chevaliers-sauveteurs !

Le soir, un grand festin a lieu dans la salle
des fêtes, en l'honneur de Victor.
Celui-ci goûte avec plaisir à tous les plats.
Il est heureux, il se sent aussi utile
et important que tous les habitants
du pays qui le félicitent encore et encore...

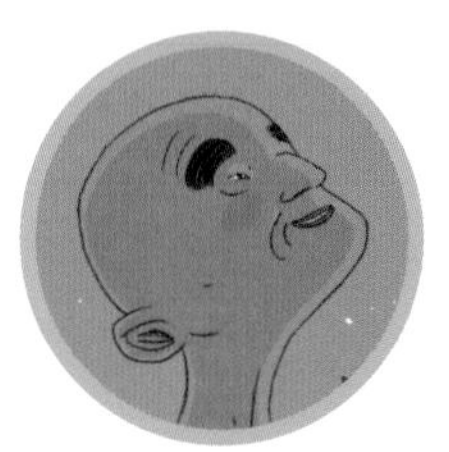

Un Noël tombé du ciel

Agnès Bertron-Martin d'après la tradition polynésienne,
illustrations d'Aurélie Abolivier

Dans l'île de Mooréa, dans un faré
tout abîmé vivaient Teïki et son chien.
Teïki était le plus pauvre de tous
les pêcheurs car il était si vieux
qu'il n'avait plus la force de pêcher
ni en pirogue ni même au bord du lagon.
Et il n'avait pour toute nourriture que
les noix de coco qui tombaient de l'arbre
près de sa maison.
Il partageait avec son chien cette pauvre
nourriture. Le chien aimait tant son maître
qu'il restait près de lui, jour et nuit.
Et ils vivaient ainsi l'un près de l'autre,
Teïki et son chien, heureux malgré tout
d'être ensemble.

Pourtant comme Noël approchait,
Teïki, plein de tristesse, dit à son chien :
– Tu es bien malheureux d'avoir un maître
comme moi. Cette nuit, ce sera la nuit
de Noël et je n'ai rien de bon à t'offrir.
Tu devras te contenter d'un morceau
de noix de coco comme tous les jours
de notre misérable vie. Tu ferais mieux
de me laisser. Pars ! Sauve-toi ! Tu peux
encore courir ! Va chercher un maître,
plus jeune et plus fortuné, qui t'offrira
un meilleur dîner.
Mais le chien au lieu de partir léchait
la main de son maître.

Or, cette nuit-là, rôdait le chat Mimi. Mimi était le plus laid de tous les chats de Mooréa. Il avait la queue tordue et il était tout pelé.

Mimi était un chat errant que tout le monde connaissait et redoutait. Car Mimi était le plus rapide et le plus rusé des chats. Et il volait tant qu'il pouvait ! Il volait dans les farés, dans les pirogues et sur les marchés. Et tant pis s'il se coinçait la queue dans une porte et tant pis s'il se tordait l'oreille dans un filet. Personne n'avait réussi à l'attraper. Les hommes le poursuivaient avec leurs machettes pour le couper en morceaux.

Les femmes le poursuivaient avec leurs grandes cuillères pour lui taper sur la tête. On lui avait bien coupé un bout de queue une fois, on lui avait bien fait une grosse bosse sur la tête un jour. Mais cela ne l'avait jamais empêché de courir, Mimi le chat voleur.

C'était le soir de Noël.
Dans toutes les maisons, on avait préparé des plats si délicieux que personne n'avait envie que Mimi les vole. Pour la première fois, Mimi n'arrivait pas à ravir son dîner. Il avait déjà reçu bien des coups, et son ventre était toujours vide.
Il avait faim, il commençait à s'énerver.
C'est en tentant sa chance maison après maison qu'il arriva jusqu'au pauvre faré de Teïki.

Mimi se glissa sans bruit à l'intérieur !
Mais il ne trouva pas le moindre petit poisson. Il fouilla partout en vain.
Tout à coup, il aperçut le chien de Teïki :
– Jamais je n'ai vu de chien aussi maigre que toi, lui dit Mimi. Pourquoi restes-tu dans une si mauvaise maison où on ne nourrit même pas son chien ?

Alors le chien s'écria qu'il préférait mourir de faim plutôt que d'abandonner son maître. Mimi fût touché par tant de gentillesse. Il dit au chien :
– Entre bêtes, il faut s'aider. Et puisque ce soir c'est Noël, j'irai chasser pour toi un bon dîner, car je suis Mimi, le chat le plus rapide et le plus malin !
Mais le chien pensa à son maître. Et, au lieu de se réjouir, il dit à Mimi :
– Mon maître est plus à plaindre que moi. Regarde-le, il n'a plus la force de se lever. Si tu es aussi rapide et aussi rusé que tu le prétends, c'est pour lui que tu dois chasser !

Le chat, tout heureux de montrer de quoi il était capable, partit ventre à terre et se jeta sur la première proie qu'il trouva !

Il revint bientôt, tout content, avec un gros rat dans la gueule :
– Voilà pour ton maître.
Le chien était furieux, il dit au chat :
– Tu ne connais vraiment rien aux goûts des hommes. Les hommes ne mangent pas les rats.

Mimi était bien déçu. Il repartit de plus belle en chasse et il trouva rapidement une belle proie : c'était un bébé merle, encore dans le nid. Mimi s'apprêtait à bondir sur lui quand Piu Piu, la maman du petit merle, le supplia :
– Mimi, par pitié, ne tue pas mon oisillon ! Il est si jeune encore. Si tu es assez bon pour l'épargner, moi, sa mère, je n'oublierai jamais ta bonté et je te promets de faire tout ce que je peux pour t'aider.
Ce n'était pas le genre de Mimi d'épargner un merle et il aurait bien dévoré ensemble la mère et l'oisillon, affamé comme il était. Mais c'était la nuit de Noël. Alors, il laissa la vie sauve à l'oisillon et il dit à Piu Piu :
– Voilà ce que tu vas faire pour me remercier : appelle toutes les mouettes de l'île. Qu'elles s'élancent sur la mer et qu'elles pêchent chacune un poisson. Ensuite qu'elles viennent le livrer au-dessus du faré de Teïki.

Piu Piu ne se le fit pas dire deux fois.
Elle fila dans le ciel avertir les oiseaux de l'île.

Teïki était bien triste, il regardait le ciel s'obscurcir et les étoiles se lever dans la nuit de Noël. Il caressait son chien et ses yeux se brouillaient de larmes quand, tout à coup, un poisson tomba du ciel, puis un autre et un autre encore. Il pleuvait des poissons partout autour de Teïki. Teïki pleurait à chaudes larmes, mais de joie, cette fois :

– C'est le réveillon de Noël qui tombe du ciel.

Ce réveillon, ils furent trois à s'en régaler : le plus pauvre des pêcheurs, le plus maigre des chiens et le plus laid des chats ! Mais, cette nuit-là, ils sont devenus les meilleurs amis du monde.

Le petit poisson d'or

Raconté par Rose Celli d'après la tradition russe,
illustrations de Pierre Belvès

Un vieux pêcheur et sa femme habitaient depuis trente-trois ans, pas un jour de plus, ni de moins, dans une pauvre petite cabane, au bord de la mer.

Un matin, tandis que la vieille filait, l'homme s'en alla, comme d'habitude, jeter son filet. Quand il voulut le retirer, il sentit que c'était très lourd.
« Oh ! Oh Quelle bonne pêche ! »
se dit le pêcheur.
Hélas ! Le filet était plein de vase, de sable et de cailloux.
Il lança de nouveau son filet dans la mer.
En le retirant, il sentit que c'était un peu moins lourd.
« Cette fois, pensa-t-il, c'est du poisson. »
Pas du tout ! Le filet était plein d'herbes marines, des vertes, des rouges, des noires.

Le vieux était patient.
Il jeta son filet une troisième fois, dans un endroit de la mer bien tranquille et bien clair.
Il y avait cette fois dans le filet un poisson, un seul, et tout petit… Mais c'était un poisson d'or, un véritable petit poisson d'or !
– Petite pêche, mais jolie ! dit le pêcheur.

Il s'apprêtait à mettre le poisson dans le panier quand, oh ! merveille ! le poisson parla ! en vraies paroles !

– Vieux, dit-il, je t'en prie, ne me mets pas dans ton panier, mais plutôt rejette-moi à la mer. Je serais si heureux de nager encore librement et joyeusement dans les eaux bleues !

Depuis trente-trois ans qu'il pêchait, le pêcheur n'avait jamais entendu parler un poisson. Aussi, tout étonné, un peu effrayé, il répondit :
– Petit poisson d'or, je veux bien te rejeter à la mer, Dieux me garde de te prendre contre ton gré !
– Il est juste, dit le poisson d'or, que je te paie une rançon pour ma liberté. Demande-moi ce que tu voudras ; je te le donnerai de bon cœur.
– Je n'ai besoin de rien, dit le pêcheur. Je suis bien assez content d'avoir vécu jusqu'à ce jour pour voir de mes yeux un si joli poisson, et pour l'avoir, de mes oreilles, entendu parler.
Et il rejeta le petit poisson d'or dans la vaste mer.

En toute hâte, il revint au rivage, tira sa barque sur le sable et courut chez lui aussi vite qu'il put.
– As-tu fait une bonne pêche, aujourd'hui ? lui demanda sa femme.
– Cela dépend, dit le pêcheur. Je n'ai rien pris que tu puisses mettre à la poêle ou dans la marmite ; mais à la troisième fois que j'ai jeté mon filet, j'ai bien failli attraper un poisson.

Non pas un simple poisson, mais un poisson d'or, et qui parlait comme toi et moi, et beaucoup mieux.
– Et que t'a-t-il dit ?
– Il m'a dit qu'il désirait retourner dans la mer. Et il m'a offert, pour sa liberté, de me donner tout ce que je voudrais.
– Et qu'as-tu demandé, mon bon homme ?
– Rien, ma bonne femme. Je n'ai besoin de rien. J'ai relâché le petit poisson, et il s'en est allé joyeusement dans la vaste mer.
– Ah ! le benêt ! Ah ! le nigaud ! s'écria la femme. Ne pouvais-tu au moins lui demander une auge ? Vois, la nôtre est toute fendue.

Le vieux pêcheur retourna au bord de la mer. La mer jouait doucement sur le rivage.
– Petit poisson d'or, petit poisson d'or ! dit le pêcheur.
Aussitôt le petit poisson d'or vient à lui :
– Tu m'as appelé. Me voici. Que puis-je, vieux, pour ton service ?
– Ah ! Pour moi, je ne veux rien. Mais il y a ma femme, la vieille. Elle m'a bien grondé. Elle veut une auge neuve, car la nôtre est toute fendue.
– Ne t'inquiète pas, dit le poisson d'or. Vous aurez une auge neuve. Va, et que Dieu te bénisse.

Le vieux retourna vers sa cabane. À la place de la vieille auge, il y avait une auge neuve, grande et solide. Mais voilà que la vieille crie de plus belle :
– Ah ! le pauvre sot ! Ah ! imbécile ! Une auge ! le beau cadeau ! C'est une auge que tu as demandée ? Va au rivage, tout de suite. Appelle le poisson d'or et le salue, et demande-lui une isba, toute neuve, pour remplacer notre misérable cabane.

Le pêcheur retourne au rivage. Il appelle :
– Petit poisson d'or, petit poisson d'or !
La mer n'est pas aussi paisible. Elle s'agite, elle n'est pas bleue. Cependant voici le petit poisson d'or qui nage gracieusement vers le pêcheur :
– Tu m'as appelé. Me voici. Qui a-t-il, vieux, pour ton service ?
– Pardonne-moi, Seigneur Poisson. C'est la vieille, tu sais. Elle crie encore plus fort ; elle ne me laisse pas en paix. C'est une isba maintenant qu'elle demande.
– Ne t'inquiète pas, vieux. C'est bon. Vous aurez une isba, cette fois. Va, et que Dieu te bénisse.

Le vieux pêcheur reprit le chemin de sa cabane. Il arrive... Plus de cabane !
Il voit une jolie maison, bien construite, en beau sapin clair, avec une petite porte de chêne, et une grande porte de chêne pour la charrette.
À l'intérieur, il y a une belle salle commune avec un grand poêle, et, au-dessus de la salle, une chambrette avec une cheminée peinte en bleu. Le vieux aurait dansé de joie.
Songez donc ! Il y avait même, à la fenêtre, un petit balcon de bois !
La vieille était assise sous le balcon. Elle voit venir le vieux. Elle court à lui, tout en colère :
– Ah ! dit-elle, benêt ! âne ! As-tu perdu l'esprit ? Tu as demandé une isba, une maison de paysan ! Va, retourne vers le poisson et le salue.
Je ne veux pas être une obscure paysanne.
Je veux être une dame, une dame noble, et de haut lignage.

Le pêcheur s'en retourne bien tristement au rivage.
La mer, cette fois, est toute troublée.
Les vagues sont devenues sombres et écumeuses. Tout au long du chemin qui descend vers la plage, les arbres se courbent et les feuilles frissonnent.
Le pêcheur appelle :
– Petit poisson d'or, petit poisson d'or !
– Tu m'as appelé. Me voici. Que puis-je, vieux, pour ton service ?
– Seigneur Poisson, aie pitié de moi ! La vieille est dans une grande colère. Que faire pour avoir la paix ? Voilà, maintenant, qu'elle veut être une dame de haut lignage ?

– Ne te tourmente pas, vieux, elle sera dame noble. Va, et que Dieu te bénisse.

Le pêcheur revient vers la maisonnette.
Et que voit-il ? Une haute maison de seigneur, à haut perron, à balustrades de chêne ; et sur le perron, une haute dame à haute coiffure de brocart. Quelle toilette ! Sur ses épaules, un riche mantelet de fourrure ; autour de sa taille, une large robe de velours ; à son cou, un collier de perles ; à ses doigts, dix bagues d'or ; à ses pieds, des bottes rouges !
Avec sa canne, elle frappe le sol pour appeler ses serviteurs. Quand ils n'accourent pas assez vite, elle leur tire les cheveux. Enfin une vraie dame de seigneur !

Le vieux est tout ébloui. Il la salue et dit :
– Bonjour, ma noble dame. Maintenant, tu as, je l'espère, le cœur content ?
– Holà ! dit la dame à ses laquais. Qu'on mène ce vieux manant à l'écurie, pour qu'il soigne mes chevaux ; et qu'il n'ait jamais l'audace de reparaître à mes yeux !

Huit jours se passent, peut-être dix.
Un matin, la noble dame fait venir le vieux sur le perron.
– Je ne veux plus, lui dit-elle, être dame de haut lignage. N'y a-t-il pas, dans ce pays, une tsarine, souveraine de toutes les dames et de tous les seigneurs ? C'est tsarine que je veux être. Va au rivage de la mer, appelle

le poisson d'or et le salue, et dis-lui que je veux être libre tsarine.
Cette fois le pêcheur ose dire, tremblant de peur :
– Noble dame, y pensez-vous ? Y penses-tu, ma pauvre vieille ? Tsarine ? Toi ! Mais à peine commences-tu à savoir marcher sans accrocher ta robe ! Et tu ne saurais jamais parler le beau langage de la cour ! Tout le royaume se moquerait de toi.
– Écoute, dit la vieille, en lui donnant un soufflet, écoute, je suis patiente. Je te le répète une fois encore : va au rivage de bonne grâce ou je t'y ferai mener de force.
Et elle rentra dans sa maison.
Le vieux, une fois de plus, descend au bord de la mer. La mer est maintenant sombre, sombre. Le ciel est noir. De grandes masses de nuées sinistres ont caché le soleil.
On entend au loin de sourds grondements.
Le vieux tremble de froid. Il appelle :
– Petit poisson d'or, petit poisson d'or !
– Tu m'as appelé. Me voici. Que puis-je, vieux pour ton service ?
– Ah ! Seigneur Poisson ! J'ai bien honte de te le dire. Mais, encore une fois, aie pitié, car cette vieille ne me laissera pas en paix. Elle ne veut plus être dame noble et de haut lignage. Voilà-t-il pas qu'elle veut être tsarine. Tsarine ! Je vous demande un peu !

– Ne te tourmente pas, vieux. C'est bon.
Elle sera tsarine. Va, et que Dieu te bénisse !

Le vieux remonte vers la noble maison.
Plus de noble maison. Le palais des tsars !
Il croit rêver. Tremblant d'admiration,
il approche, il entre.
Il voit sa vieille, à table. Elle est tsarine.
Cinquante des plus nobles seigneurs lui versent des vins de France dans des timbales d'or, lui découpent sa viande en tout petits morceaux carrés. Elle mange des confitures exquises et des pains d'épices en formes d'oiseaux et de fleurs.

Le vieux pêcheur est émerveillé. Il pense :
« Tout de même ! Tout de même ! »
Enfin, il s'approche de la table
et fait un profond salut jusqu'à terre :
– Redoutable Tsarine, puissante Tsarine,
ton cœur, je l'espère, est désormais content ?
Le malheureux ! À peine avait-il parlé que les hommes de la garde s'élancent en brandissant leurs haches. Le vieux, épouvanté, s'enfuit.
Dans les cours du palais, les gens rient et se moquent de lui :
« C'est bien fait ! Cela t'apprendra, vieux fou !
Voyez le beau courtisan ! »

Dix jours passent, peut-être quinze.
Le pêcheur se cache. Où est-il ? La tsarine veut le voir. Elle envoie ses seigneurs de tous côtés pour le chercher. Enfin, on le découvre. On l'amène au palais, plus mort que vif.
– Il ne me plaît plus, dit la vieille, d'être libre tsarine. Va, retourne au rivage, appelle le poisson d'or et le salue. Je veux être reine de la mer, et que le petit poisson d'or me serve et fasse mes commissions.

Le vieux, cette fois, n'ose rien dire.
Il part, arrive au rivage. Une terrible colère soulève maintenant la mer. D'énormes vagues bondissent et retombent avec un bruit épouvantable. Le ciel est enflammé d'éclairs. Sous les efforts du vent, les arbres du rivage se tordent et se brisent.
Cependant, le pêcheur appelle :
– Petit poisson d'or, petit poisson d'or !
– Tu m'as appelé. Me voici. Que puis-je, vieux, pour ton service ?
– Ah ! Malheureux que je suis ! Que faire devant cette femme ? Elle est toute noire de colère. Pardonne-moi, je ne te dis que ce que l'on m'a dit : elle ne veut plus être tsarine. Elle veut être reine de la mer et que toi, petit poisson d'or, tu la serves et fasses ses commissions.
Le petit poisson d'or ne dit rien.
Il bat l'eau de sa queue brillante et s'en va dans la profonde mer.

Longtemps, longtemps, le vieux pêcheur attendit la réponse. Rien.
Enfin, il s'en retourna. Et que vit-il ?
Sa pauvre petite cabane et sa vieille assise sur le seuil, à côté d'une auge toute fendue.

Index alphabétique

Index par âge

3-4 ans

5-6 ans

6 ans et plus

Index de temps de lecture

Court

Moyen

Long

Index thématique

Afrique

Amitié

Animaux

Arrivée d'un bébé

Bonheur

Campagne et ferme

Caprice

Chagrin

Chevalier

Chine

Clown

Colère

Courage

Créature

Défi

Différence

Dispute

Dragon

École

Éducation

Enfant perdu

Exotisme

Forêt

Frère et Sœur

Géant et ogre

Générosité

Grand Nord

Papa et maman

Partage

Pauvreté

Prince

Punition

Récompense

Retrouvailles

Roi, empereur et tsar

Ruse

Russie

Sagesse

Sieste

Solidarité

Solitude

Sommeil

Surnom

Tendresse

Vanité

Vie au village

Voyage et aventure